# Than: Der Fluss

## Eva Pattum

Dieser Titel ist auch als E-Book erschienen.

Weitere Titel von Eva Pattum:

Madame Flavicaus zauberhafter Punsch

Die Spendensammlerin

Lektorat: Anneke Müller/Annette Jünger

Umschlaggestaltung: Janiel

Coverfoto: 123rf.com, junger Mann Nr. 27818188 ©
Konrad Bak

© 2017 Herstellung und Verlag:

BoD – Books on Demand, Norderstedt.

ISBN: 9783746034317

*Während die Menschheit sich in Kriegen bekämpft, in denen es keine Sieger gibt, droht den Bewohnern eines abgeschiedenen Fleckens Erde ein ganz anderes Schicksal. Umgeben von hohen Gebirgszügen, abgeschnitten durch einen reißenden Strom, kämpfen sie um ihr Überleben ...*

**Prolog**

Sechs Männer schritten auf dem schmalen Pfad. Kleine, runde Steine knirschten gedämpft unter ihren schweren, groben Lederstiefeln. Sie hatten die Sohlen beim Eintritt in das Gebirge mit breiten Lederstreifen umwickelt. So waren ihre Tritte auf dem Geröll von menschlichen Ohren kaum zu hören.

Anspruchslose Gräser, Farne und Disteln überwucherten den alten Weg, und ihre aufrechten Halme und Zweige zeugten davon, dass in jüngster Zeit kaum ein Mensch diese Route genommen hatte. Kiefern streckten ihre Zweige ausladend von beiden Seiten des Wegesrandes zu dessen Mitte und erschwerten das Vorankommen. Echsen und kleine Schlangen spürten die Erschütterung der herannahenden Gruppe und verschwanden nach einem kurzen Augenblick überraschter Starre lautlos von ihren sonnenbeschienenen Flecken ins Gestrüpp.

Am Fuße des massiven Gebirgszuges gab es zu allen Zeiten zahlreiche wilde Tiere, doch selbst diese schienen dieses Gebiet aufgrund ihrer fein ausgebildeten Sinnesorgane zu meiden.

Die Morgendämmerung brach an. Keiner der Männer sprach. Ihre Gesichter, auf denen das Wetter und das

Leben bereits Spuren hinterlassen hatten, waren angespannt und hätten einem aufmerksamen Beobachter widergespiegelt, dass diese Reise keine leichte war. Die kleine Gruppe hielt nur selten, um zu trinken.

Im Stillen hofften alle auf einen guten Ausgang ihres Vorhabens. Diese Hoffnung ließ sie nicht nur ihren Hunger, sondern auch Durst und sogar ihr Schlafbedürfnis fast vollständig vergessen.

Vom Dorf aus waren die Männer nicht zu sehen. Die Dunkelheit gab ihnen in den ersten Stunden Schutz. Schwertklingen, Messer und sogar die sonst glänzenden Knöpfe ihrer Mäntel hatten sie mit einem rußigen Tuch geschwärzt, so dass kein Blinken oder Blitzen sie vorzeitig verraten konnte.

Alle hatten Schweigen über ihren Aufbruch bewahrt. Nicht einmal ihren Frauen und Kindern gegenüber verloren sie ein Wort über ihre Abreise. Nur mit stark zusammengekniffenen Augen hätten diese die kleinen schwarzen Punkte deuten können, die sich wie Zugpferde langsam, aber unermüdlich die steilen Hänge hinaufbewegten. Und selbst dann hätten sie es für eine Sinnestäuschung gehalten, denn die Reise in das Gebirge kam fast einem Selbstmord gleich.

Die kleine Prozession war sorgfältig vorbereitet. Die Idee stammte von den zweien, die vorangingen. Sorgfältig wählten sie in den Wochen zuvor die übrigen

Kameraden. Kampferprobt und kräftig von der körperlichen Arbeit waren viele. Geschick und Diplomatie waren die Gründe, warum die Wahl auf diese Männer gefallen war. Und keiner der vier, die sie ansprachen, lehnte den Auftrag ab. Denn allen war klar, dass es keine andere Möglichkeit gab, der Gefahr, die wie hoch aufgetürmte schwarze Gewitterwolken über ihrem Volk lag, zu begegnen.

Hätte jemand die wie zum Almauftrieb voranschreitenden Männer vom Tal aus gesehen, dann wäre er verwundert gewesen. Denn da gab es einen schwarzen Schatten, der ihnen mit einigem Abstand folgte.

Zu Sonnenuntergang überschritten sie den ersten Bergkamm, der ihr Land von dem der Odonen trennte. Die Zeit drängte, aber die Dunkelheit zwang sie zu einer Pause. Jeder Tritt neben den Pfad konnte in diesem Gebiet zu einer tödlichen Falle werden. Die glatten Felsen ragten auf einer Seite des Weges hoch hinauf, während sie auf der anderen steil abfielen. In ihrem Dorf gab es Sagen, laut derer schon so mancher seinen Tod in der Tiefe gefunden hatte.

Die Männer wussten, dass sie hier am Einstieg in den Gebirgszug noch keine feindlichen Begegnungen zu erwarten hatten. Sie konzentrierten sich alle auf ihre Mission.

Als die Nacht einbrach, schlugen sie ihr Lager auf. Es

wurde kalt. Ein Feuer hätte die eisige Luft etwas erwärmen können, die in ihre Kleidung eindrang und sie langsam auszukühlen drohte. Aber ein Feuer bedeutete auch Licht und Rauch. Es hätte sie von weit her sichtbar gemacht und ihre Ankunft angekündigt. Also schlugen sie ihre ledernen Decken eng um sich und legten sich dicht zusammen an eine kleine Lichtung, deren Boden von spärlichem Gras bewachsen war.

Der Junge fror fürchterlich. Diese Nacht war für ihn noch viel kälter als für die Gruppe, denn er war alleine. Sein Vater war einer der Männer, und sie waren auf dem Weg in das feindliche Land. Der Junge glaubte nicht recht an die unheimlichen Geschichten von den Odonen. Aber ihn faszinierten diese Fremden. Am liebsten wäre es ihm gewesen, wenn die Gruppe die Nacht durchgewandert wäre. Denn durch seine Neugier war er kaum zu bremsen.

Trotz der Kälte und der Aufregung schlief er irgendwann ein. Er erwachte erst, als die Sonne schon hoch am Himmel stand. Verärgert über seinen festen Schlaf sprang er hoch und lief den Pfad weiter bergan. Die Gruppe musste schon früh aufgebrochen sein, und er lag nach seinen Berechnungen weit zurück.

Er machte nur kurze Pausen, wenn er einen kleinen Bach mit klarem Wasser fand, an dem er seinen Durst stillen konnte. Dabei drang er immer weiter in das Gebiet der Odonen ein. Aber von den Abgesandten seines Dorfes war weit und breit nichts zu sehen. Er ging in Gedanken nochmals den zurückgelegten Weg ab und überlegte, ob er irgendwo eine Abzweigung übersehen hatte. Ihm war auf seinem Weg keine aufgefallen. Die Berge wurden immer schroffer, und die Sonne sank langsam hinter die äußeren Bergkämme und tauchte die gewaltigen steilen Hänge in dunkle Schatten.

Am Ende des zweiten Tages hatte er sie noch immer nicht eingeholt. Kurz bevor die sternenlose Nacht einbrach, entdeckte er Umrisse einer von Menschen geschaffenen Wand. Eine Mauer am Wegesrand, die das Bett eines kleinen Flusses fast vollständig durchquerte. Vor dieser Mauer fand er ein trockenes und geschütztes Plätzchen. Obwohl ihm die Gefahr, entdeckt zu werden, bewusst war, zündete er ein kleines Feuer an. Der Abstand zu der Gruppe hatte sich vergrößert, und er hoffte, dass das reichen würde, um den Rauch in der kühlen Luft unsichtbar zu machen. Er beobachtete lange die rote Glut in der vollkommenen Schwärze der Nacht, bevor er sich zum Schlafen legte. Mit dem festen Gedanken daran, am nächsten Morgen bloß früh aufzuwachen, schlief er ein.

Ein eisiges Schwert drückte ihm unsanft in den Nacken. Erschrocken sprang er auf und rutschte dabei mit dem Fuß aus. Unsanft landete er auf der Erde. „Verdammt!" Einen Moment brauchte er, um zu begreifen, dass er alleine war. Gerade noch kämpfte er erfolgreich gegen dutzende Odonen und war kurz davor, siegreich aus dieser Begegnung hervorzugehen.

Eisiges Wasser floss in kleinen Rinnsalen seinen warmen Rücken hinab. Seine Schultern, sein Nacken und sein Kopf zogen sich unwillkürlich zusammen. Es fühlte sich an wie der kühle Stahl einer Waffe. Über Nacht schien der Fluss angeschwollen zu sein, und kleine Wasserbäche züngelten an seinem Nachtlager.

Blitzartig wach geworden, griff er zu dem Bündel, das neben ihm am Boden lag. „Ein Glück!" Er betrachtete seinen Lederbeutel mit Proviant, den er gerade noch von dem Nass retten konnte. Es war noch früh, und sein Magengrummeln erinnerte ihn daran, dass er am Vortag nichts gegessen hatte. Das holte er nach, bevor er sich weiter auf den Pfad begab.

Beflügelt und in Gedanken noch siegessicher durch seinen kühnen Traum, freute sich der Junge auf das, was vor ihm lag. Ihm war nicht klar, was ihn erwartete. Aber er war ein sechszehnjähriger Junge. Er war auf der Suche. Auf der Suche nach einem Abenteuer. Einem Abenteuer, das deutlich größer und ungewöhnlicher war als alles, was ihm sein abgelegenes Tal zu bieten hatte.

Ein Lichtstrahl traf ihn unvermittelt ins Auge. Blitzschnell zogen sich seine Pupillen zusammen. Der Junge blinzelte und versuchte, seinen Blick in die Richtung zu lenken, aus der der Strahl kam. Waren das Menschen? Eine Bewegung war aus der Ferne weit oben an der Felswand, vor der der Weg ein Stück parallel lief, zu sehen. Zügig ging er weiter und suchte immer wieder Schutz hinter den dichten Kiefern, um nicht entdeckt zu werden. Je näher er herankam, desto deutlicher wurde das Treiben. Der Junge legte seinen Kopf so weit in den Nacken, dass er aufpassen musste, nicht hintenüberzukippen und zum zweiten Mal an diesem Tag auf der Erde zu landen.

„Verdammt", entfuhr es ihm und, als ihm die Lautstärke seiner Stimme in dieser stillen Umgebung plötzlich bewusst wurde, deutlich leiser: „Verdammt, was ist denn das?"

Es wimmelte an der riesigen Steilwand von menschlichen Gestalten. Ein gigantisches Aufzugssystem, das weite Teile des vor ihm liegenden Berges bedeckte, beförderte unermüdlich Lasten nach oben. Lasten wie Pferde, Ochsen, aber auch Körbe, die aus der Ferne wie Miniaturen aussahen, wie er sie aus der Puppenstube seiner Schwester kannte. In der Höhe endete das Gerüst in einem endlos langen graden Vorbau, weit vor dem in grauen Wolken verborgenen vereisten Berggipfel. Riesige Pfeiler schienen in den dunklen, zart bewachsenen Schluchten zu verschwinden und die Konstruktion abzustützen.

Ein lautes Pfeifen ließ ihn zusammenzucken. Blitzschnell sprang er hinter einen großen, dornigen Busch, der an der Seite des Weges stand. Keine Sekunde zu früh. Ein großer Stein krachte neben ihm auf den Boden. Und dann noch einer. Er hörte lautes Donnern, dann war er von einer Staubwolke umhüllt. Schwere Pferde galoppierten in einem mörderischen Tempo direkt vor ihm über den Pfad. Er hustete und nieste laut, um Luft zu bekommen, ohne dass er etwas dagegen hätte tun können. Glücklicherweise übertönte der donnernde Hufschlag der Tiere alle anderen Geräusche, und so blieb sein Versteck unentdeckt.

Der Junge ahnte schon, dass die Gruppe von Reitern nichts Gutes bedeutete. Er wartete, bis sich ihre Geräusche hinter den nächsten Kurven verloren, und ging dann vorsichtig wieder auf den Weg.

Ein ganzes Stück weiter oben entdeckte er sie. Sie lagen an einer breiten Stelle des Weges, wo eine kleine Wiese vor dem nahen Abgrund schützte. Niedergemetzelte Körper, überall Blut, die Köpfe waren mit einem glatten Schlag von Hals getrennt. Seinen Vater erkannte er sofort. Der kräftige Körper lag mit leicht angewinkelten Beinen auf der Seite. So, als ob er im Umfallen eingefroren wäre.

Er konnte seinen Blick nicht von der Gruppe lösen. Mit den Augen suchte er jeden der sechs Männer ab. Aber er sah nur die nackten, verstümmelten Körper. Nichts von dem, was sie bei sich trugen, war noch da. Keine Kleidung, kein Schmuck, die Taschen waren weg, und sogar das lederne Armband, das sein Vater immer trug, war fort, und er starrte auf den hellen Streifen um den Arm, der von den Strahlen der Sonne verschont geblieben war.

Der Junge legte seinem Vater die Hand auf den mächtigen, noch warmen Oberarm und spürte ein letztes

Mal die Kraft, die sein Vater auch im Tode ausstrahlte. Der Arm seines Vaters war seltsam verdreht und stand grotesk vom Körper ab. Die Hand war zur Faust geballt und dann durch den nicht mehr vorhandenen Blutfluss erschlafft. Ein letztes Mal griff er diese Hand und wollte sie wie zum Abschied drücken. Dabei fiel ein kleiner, glänzender Gegenstand auf den staubigen Boden. Der Junge erkannte ihn sofort, es war der Ring, den sein Vater von seiner Mutter bekommen hatte. Es gab ihm einen Stich ins Herz. Er ließ den Ring in die Tasche gleiten und wandte seine Augen von dem traurigen Anblick ab.

Das erneute Geräusch von heranrasenden Hufen ließ ihn schnell ein Versteck suchen. Er fand einen Felsvorsprung und schlüpfte dahinter. Von dort konnte er die zurückkehrenden Reiter gut sehen, ohne von ihnen entdeckt zu werden. Fassungslos starrte er auf die Männer, die schnell an ihm vorbeizogen und dabei verächtlich und aus dem vollen Galopp heraus auf die nackten Körper seiner Leute spuckten. Ihre Gesichter waren entstellt, wie Fratzen, und zu hasserfüllt grinsenden Masken erstarrt.

Seine Knie gaben nach, und er wurde fast ohnmächtig. Das Gefühl des Verlustes und der Hilflosigkeit nahmen ihm den Atem.

Als die Geräusche der Reiter leiser wurden und er sich in Sicherheit wähnte, sprang er aus dem Versteck und lief so schnell den Weg hinab, wie er konnte. Seine jugendliche Neugier war vergessen. Erst an dem kleinen

Mauervorsprung, an dem er die Nacht zuvor übernachtet hatte, kam er zum Stehen, um zu Atem zu kommen. Erschöpft ließ er sich auf dem kühlen Boden nieder und trank aus dem Fluss.

Dann brach es aus ihm heraus, voller Wut fing er an zu schluchzen, zu weinen und ließ seinem Schrecken und seiner Trauer freien Lauf. Später zog er seine Kleidung aus und sprang in das eiskalte Wasser, so als ob es ihn von dem, was er gesehen hatte, reinwaschen könne.

Die Kühle des Flusses brachte ihn allmählich wieder zur Besinnung. Erst als die Kälte unerträglich wurde, erlaubte er sich, wieder an Land zu gehen. Dabei schweifte sein leerer Blick auf den Boden des steinigen Flusses. Zwischen einem verkeilten Stück Treibholz sah er einen kleinen metallenen Gegenstand. Er nahm ihn in die Hand und betrachtete ihn lange. Die Form war eckig, mit kleinen Schriftzeichen ringsherum, dünn, wie eine Münze und an einigen Stellen stark glänzend, wie poliert. Die Ecken waren teilweise abgeschabt und hatten scharfe Kanten, so als ob mit ihnen etwas bearbeitet worden wäre.

Mechanisch verstaute er seinen Fund, griff nach seiner Kleidung und zog sich wieder an. Er konnte nichts fühlen. Vor seinem inneren Auge hatte sich der Anblick der misshandelten Körper eingebrannt.

# 1 Than

Heute war Than an der Reihe. Voller Ungeduld lief er den schmalen Pfad entlang, der mitten durch die Ansammlung kleiner Felsen führte. Der Himmel war grau und trübe. Ein kalter Wind pfiff ihm um die Ohren und kündigte den nahenden Winter an. Er beeilte sich, um warm zu bleiben, bis er am Fluss war. Aus den Augenwinkeln meinte er, im Vorbeilaufen einen Schatten zwischen den Felsen zu sehen. Etwas, was sich bewegte. Und plötzlich hatte er das Gefühl, beobachtet zu werden. Ein Follot?

Ihm fuhr ein eiskalter Schauer über den Rücken, und er traute sich kaum, sich umzudrehen. Schon meinte er, den spitzen Schnabel und die messerscharfen Krallen an seiner Haut zu spüren. Aber nichts geschah. Er drehte sich vorsichtig um. Da war nichts. Nicht einmal ein vom Baum gewehtes Blatt, das sich in einem der zahlreichen Spinnennetze zwischen den Steinen verfangen hatte und ihm vortäuschte, lebendig zu sein. Er warf einen Blick auf die kleine Ansammlung von Felsen, die hinter ihm lag. Kein dunkler Schatten weit und breit. Beruhigt ging er weiter.

Zum Glück verirrten sich die unheimlichen riesigen Vögel nur äußerst selten auf ihre Insel. Aber wenn einer kam, dann mussten sie sich schnell in Sicherheit bringen. Die Follots hatten es eindeutig auf ihn und seine Eltern abgesehen. Nie wurde ein Schaf oder eine Kuh gerissen.

Auf seinem Weg nach unten zur Bucht nahm er immer wieder kleine Kiesel vom Boden. Er brauchte sie für ein Spiel, mit dem er sich die Zeit vertrieb, bis der Fang in den Netzen war. Die Steine, noch feucht und kalt vom Nachtfrost, wischte er kurz mit dem Daumen ab und ließ sie in seine Hosentasche gleiten.

Je näher er dem Wasser kam, desto lauter knackte und dröhnte der Fluss. Die schwarzen Wassermassen donnerten in rasender Geschwindigkeit über die Untiefen. Auf der Oberfläche trugen sie Eisschollen und riesige Baumstämme mit sich. Die schossen nur so über das Wasser, verschwanden kurzzeitig in den Fluten, um dann Sekunden später an einer ganz anderen Stelle wieder hochgeschleudert zu werden. Die reißenden Strudel unter der Wasseroberfläche glucksten und gurgelten bedrohlich.

„Der Fluss wirkt von Tag zu Tag mächtiger", dachte Than sich. Durch das Treibgut und Eis wirkte er wie angeschwollen, so als ob er langsam auch von ihrer Insel Besitz ergreifen wolle.

Am Ufer angekommen, war seine Hosentasche prall gefüllt. Er musste die kleinen Steine auf einem Baumstumpf ablegen, damit er genügend Bewegungsfreiheit hatte. Dann ging er ein Stück in den

Wald. An einem grob gezimmerten Unterstand bewahrten sie die schweren Netze auf. Er streifte sich seine Handschuhe über, zog alles hervor und warf sich einen Teil über die Schultern.

Die Netze wogen schwer, und der Teil, der auf dem Boden schleifte, blieb immer wieder an Baumwurzeln und spitzen Steinen hängen. Hinter ihm entstand eine breite erdige Spur im gefrorenen Gras. Der nächste Ruck ließ ihn kurz anhalten. Than griff zu den Enden, die auf dem Boden lagen. Sie waren kalt, feucht und voll dunkler Erde. Ein Teil hatte sich an einer Baumwurzel verfangen, die fast senkrecht aus dem Boden kam. Er ging ein Stück zurück und trennte die Taue von der Wurzel. Dann nahm er alles über die Schultern. Seine Jacke war sofort von einem schmierigen Schmutzfilm überzogen. Ärgerlich über sich selbst und seine Gedankenlosigkeit, trug er die schwere Last weiter zum Wasser. Wenn er Glück hatte, dann fand er eine Stelle am Ufer, an der er seine Kleidung wenigstens vom gröbsten Dreck reinigen konnte.

Die Bucht lag so, dass sie genau gegenüber der massiven Felswand des Gebirges lag. Sie hätte eigentlich direkt von den Wassermassen getroffen werden müssen, die am Horizont durch die hohen Felsen der steilen Bergkette hinabstürzten und dann durch das frühere Tal der Ihmada schossen. All ihr Elend entsprang diesem einen gigantischen Wasserfall, der nur selten durch den Nebel zu sehen war und auch an klaren Tagen von unwirklicher Gischt und imposanten Regenbögen eingerahmt wurde. Aber direkt vor der Insel gab es einen breiten Felsen im

Wasser. Er spaltete die Fluten und lenkte sie so, dass sich mit der Zeit ein Becken gebildet hatte, in dem das Wasser ein wenig ruhiger war.

Ihre Bucht. Ihre Rettung. Denn nirgendwo sonst hätten sie einen Platz gefunden, um zu fischen. Da die Wucht des kalten Flusses hier nicht mit voller Kraft auf die Insel prallte, war das Ufer sogar noch von einem kleinen Grasstreifen gesäumt. An anderen Stellen um die Insel waren die Uferkanten durch die Kräfte des Wassers, der mitgeführten Hölzer, der Eisschollen im Winter, aus kahl geschliffenem, glattem Fels. Auch die riesigen Wasserschlangen, deren empfindlichen Sinnesorgane wie magisch von dem Geruch der Ihmada angezogen wurden und, zu einem tödlichen Biss ansetzend, aus dem Fluss schossen, wenn man zu nah ans Ufer kam, schienen das ruhigere Wasser der Bucht zu meiden. Hier war noch keiner von ihnen attackiert worden. Trotzdem hatte die Strömung auch hier noch Kraft und konnte gefährlich werden.

Than kam an den ersten Pflöcken an, die sein Vater in Ufernähe in die Erde gehauen hatte. Sie waren im Halbkreis tief in den festen Boden gerammt. Er legte die Netze vorsichtig aus. Dabei achtete er darauf, dass sie so lagen, dass sie später nur noch gerade zum Wasser gezogen werden mussten. Dann ging er jeden einzelnen der Holzpflöcke ab und prüfte, ob alle noch fest im Boden saßen. Wasser und Frost konnten unterirdisch einen Teil des Bodens wegspülen, ohne dass es von oben sichtbar gewesen wäre. Wenn auch nur einer der Pfähle keinen sicheren Halt mehr hätte, könnten die Netze, sobald die Fluten an ihnen zerrten, die gesamte Konstruktion aus der Erde reißen und für immer in dem Strom verschwinden lassen. Eine unbedingt zu vermeidende Katastrophe. Denn die Netze sicherten ihnen vieles, was sie zum Leben brauchten. Sie verschonten sie davor, ihre Kühe und Schafe zu schlachten.

Die Fische schienen die einzigen Lebewesen zu sein, die von der Katastrophe und den Fluten profitierten, und sie vermehrten sich scheinbar ins Unendliche. Außerdem verfing sich oft Treibholz in ihnen. Selbst wenn es oft nur abgebrochene Äste waren, eigneten die sich gut als Brennholz. So mussten sie nur selten Bäume schlagen, um sich einen warmen Ofen sichern zu können.

Mit aller Kraft ruckelte Than an den Holzpfosten. Sie bewegten sich keinen Millimeter. Gut so. Er öffnete verknotete Taue, die um die Pfähle hingen. Damit wollte er die Netze später doppelt sichern. Ihm wurde warm. Er zog seine Winterjacke aus und warf sie über einen kleinen Tannenschössling, der sich in der Nähe befand. Langsam zog er die Netze weiter zum Ufer und stieß sie ins Wasser. Er hatte gute Vorarbeit geleistet. Sofort bauschte sich die Konstruktion auf und legte sich wie ein großes Segel in den Strom. Jetzt hieß es nur noch warten.

Klack … klack … klack … Than zielte konzentriert mit den gesammelten Kieseln auf die Uferkante. Von links nach rechts. Er hatte sich auf den Baumstumpf gesetzt und die groben Handschuhe neben sich gelegt.

Klack … klack … Immer wieder startete er an der gleichen Stelle, da, wo der Fels ins Wasser ragte. Das Gestein hatte schon einige leichte Kerben von seinen vielen Würfen. Sie hatten alle eine Handbreit Abstand voneinander. Than konnte gut zielen. Als er bei der letzten Runde an der äußersten seiner Kerben angekommen war, stutzte er. Denn es waren mehr Steine übrig als sonst. Irritiert griff er neben sich und zählte nach. Er spielte oft dieses Spiel. Ein Zeitvertreib, während er darauf wartete, dass sich einige Fische in den ausgebrachten Netzen verfingen. Sechs Runden. Ordentlich gepeilt und mit viel Sorgfalt gezielt. Genau die Zeit brauchten die dicken Fische, um ins Netz zu gehen. Genau sechs Durchgänge. Zielen und Werfen.

Während Than ungläubig begann, die Kerben zu zählen, nahm eine verhängnisvolle Entwicklung auf dem Wasser ihren Lauf. Ein über dreißig Meter langer Zedernstamm, der wild taumelnd auf dem Fluss trieb, prallte gegen einen Felsen und wurde aus dem Wasser katapultiert. Das tonnenschwere Geschoss schien genau auf Thans Kopf zuzurasen.

Than hörte nicht, was hinter ihm vor sich ging. Dafür war das Tosen des Flusses zu laut. Er spürte auch nicht den Luftzug, der der Gefahr vorauseilte. Außerdem war er in Gedanken. Warum hatte er noch Kiesel übrig? Nachdenklich ging er in die Hocke, um die restlichen Kiesel auf dem Baumstumpf noch einmal nachzuzählen. Genau in dem Augenblick flog der Stamm dicht über ihn hinweg, krachte knapp vor ihm auf die Erde und rutschte dann mit kaum gebremster Kraft Hunderte von Metern den Hügel hinauf. Ohrenbetäubendes Splittern von Holz und lautes Knirschen von aufeinandergeschobenen Steinen und gefrorener Erde erfüllten die Luft.

Than erstarrte. Noch Minuten, nachdem das letzte Krachen verstummt war, blieb er in seiner gebeugten Position. Er spürte nichts. Wusste nicht, ob er verletzt war. Er blickte unsicher an sich hinunter und suchte seinen Körper und seine Kleidung nach Blutflecken ab, wischte sich über das Gesicht und war fast beruhigt, als er eine kleine Blutspur in seiner Handfläche sah. Er tastete sein rechtes Ohr, und tatsächlich, jetzt spürte er auch die feuchte Stelle, an der ihn scheinbar ein kleiner Splitter getroffen hatte.

Aus der Hocke heraus versuchte er aufzustehen, aber seine Knie versagten immer wieder und begannen unkontrolliert zu zittern, sobald sie sein Gewicht tragen sollten. So blieb er auf dem kalten, gefrorenen Boden hocken. Seine Augen lösten sich von seinem Körper und betrachteten die nähere Umgebung. Zuerst konnte er die Spur der Verwüstung, die er um sich herum sah, nicht richtig deuten. Sie begann gleich vor ihm hinter dem Baumstumpf. Eine schwarze Schneise, die sich hügelaufwärts zog, so als ob ein riesengroßer Pflug den Boden beackert hätte.

„Die Netze", schoss es ihm durch den Kopf. Obwohl er noch unter Schock stand, suchte er sein näheres Umfeld ab.

Keine Spur von den Netzen. Langsam stand er auf. Seine Beine hielten ihn. Von hier aus konnte er etwas weiter gucken. Aber die Netze blieben verschwunden.

Mit unsicheren Schritten folgte er der aufgewühlten Erde. Und jetzt sah er auch das ganze Unglück. Der gewaltige Baumstamm, dunkel glänzend und von seiner wilden Reise flussabwärts von allen Ästen befreit, hatte sich in die Lichtung gefräst. Vor ihm breitete sich eine schwarze Furche aus, in der er auch Taustücke ausmachen konnte. Sollten das die zerfetzten Überbleibsel der einst so stabilen Netze sein?

Schlagartig begann Than wieder zu zittern. Erst jetzt merkte er, wie kalt es war. Sein Körper war in der dünnen Kleidung ohne die wärmende Jacke schutzlos der Kälte ausgesetzt. Entsetzt ging er um den breiten Stamm herum. Er bückte sich und versuchte, einige der Fetzen unter dem Baum hervorzuziehen. Aber dessen tonnenschweres Gewicht gab keinen Zentimeter der Taue frei. Der nasskalte Wind nahm zu und machte die Kälte unerträglich. Than machte sich auf die Suche nach seiner Jacke. Aber genau da, wo die junge Tanne eben noch stand, zog sich die breite Furche hügelaufwärts, und auch von seiner Kleidung war weit und breit keine Spur zu sehen.

Than rannte zum Fluss. Die Holzpflöcke waren alle aus ihrer Verankerung gerissen und hatten tiefe Löcher im Boden hinterlassen. Aber Than hatte seine Augen fest nach vorne auf die Bucht gerichtet. Sah er da nicht noch einen Rest der Netze aus dem Wasser aufblitzen? Plötzlich rutschte er aus und verlor den Halt. Eines dieser Löcher war ihm zum Verhängnis geworden. Mit dem ganzen Schwung seines Laufes fiel er nach vorne und rollte den glatten Grünsteifen hinunter, direkt auf die kalten Fluten zu.

„Nein!", rief er dabei laut und stöhnte, als ihm klar wurde, dass seine Hände in dem gefrorenen Gras keinen Halt finden würden.

Mit einem lauten Klatsch landete er im eisigen Fluss. Die Kälte nahm ihm die Luft zum Atmen. Geschockt öffnete er den Mund, um zu schreien. Bevor ein Laut über seine Lippen kam, traf ihn von hinten eine Eisscholle am Genick und drückte seinen Kopf unter Wasser. Wild schlug er um sich. Er sah Sterne und fühlte sich von dem Schlag wie benommen. Seine Beine waren wie gelähmt. „Das ist das Ende", war das Letzte, was er dachte, bevor ihm schwarz vor Augen wurde und sein Körper abtrieb.

Es dauerte einen kurzen Augenblick, dann brachten die Kälte und ein reißendes Gefühl ihn wieder zu sich. Er traute sich kaum, die Augen zu öffnen und war fest davon überzeugt, schon weit von seiner Insel abgetrieben zu sein. Aber er war noch in der Bucht. An der Stelle, an der das Wasser wieder in den Fluss floss, hatten sich zahlreiche dicke Äste zwischen kleineren Eisschollen verkeilt. Nur einer riesigen Portion Glück hatte Than es zu verdanken, dass er genau an diese Stelle gespült worden war und die natürliche Barriere ihn von der ungezügelten Macht des Stromes fernhielt.

Dicht an seinem Ohr hörte er ein lautes Zischen. Ohne hinzuschauen, umfasste er ein dickes Stück Holz vor sich und schlug blitzschnell in die Richtung, aus der das Geräusch kam. Trotz des Tosens des Flusses konnte er das Aufklatschen der betäubten Schlange auf dem Wasser hören.

Kaum hatte er sich von dem Schreck erholt, kam das nächste Tier aus dem Strom und öffnete ein großes Maul mit spitzen Giftzähnen. Than schlug wild um sich und versuchte gleichzeitig, klappernd vor Kälte, mit kalkweißem Gesicht und blauen Lippen an Land zu gelangen. Die Stämme und das Treibgut gerieten ins Wanken, und für einen Augenblick sah es so aus, als ob sie durch Thans Gewicht auseinandergedrückt und in den Strom gerissen würden. Wie in Trance robbte er vorwärts und versuchte zwischen den sich entwirrenden Ästen und Zweigen Halt mit seinen Füßen zu finden. Mit letzter Kraft schaffte er es ans Ufer, bevor das Gestrüpp sich auflöste und von den tosenden Wassermassen weggespült wurde.

Völlig entkräftet ließ er sich auf einen kalten Felsen fallen. Schon wieder hörte er das Zischen einer Wasserschlange in seiner Nähe. Er hob den Kopf und sah, dass er genügend Abstand zum Wasser hatte. Das Tier hieb immer wieder erfolglos mit seinen mächtigen Kiefern in seine Richtung, ohne auch nur in seine Nähe zu kommen.

Erst als er spürte, dass seine Kleidung und die Haare schon fast am Körper angefroren waren, erhob er sich und machte sich wie betäubt auf den Rückweg. Der Weg erschien ihm durch den Anstieg und die Kälte unendlich lang.

Seine Mutter schien zu spüren, dass etwas nicht stimmte. Waren es die Geräusche, die vom Meer kamen? War er schon zu lange weg?

Plötzlich wurde die Haustür mit einem Riesenkrach aufgestoßen und ein völlig durchgefrorener Than stand im eisigen Wind, der durch die geöffnete Tür hereinfegte. Er zitterte am ganzen Körper und war unter der rotgefrorenen Haut völlig fahl.

Schnell holte sie eine wollene Decke und legte sie ihm um die Schultern. Dabei entdeckte sie auch mit mütterlichem Scharfsinn den Kratzer am rechten Ohr, von dem aus ein dünnes, getrocknetes Rinnsal Blut eine Spur nach unten wies.

Als er nach langen Minuten des Schweigens endlich die Worte in seinem Kopf sortiert hatte, versuchte er seiner Mutter zu erklären, was passiert war.

Sie stand mit ernstem Gesicht auf und nahm schweigend eine gefütterte Jacke vom Haken. „Ich sehe nach und gucke, was zu retten ist."

Auch wenn sie wusste, dass Than mit seinen Schilderungen nicht übertrieben hatte, war sie doch beunruhigt, als die Unglücksstelle in ihr Blickfeld gelangte. Die breite, tiefe Erdfurche ließ keinen Zweifel daran, mit was für einer Wucht der Baumstamm an Land geschleudert worden war. Sie umrundete den schwarzen nassen Stamm und musste kräftig schlucken. Unter dem Baum lagen eingeklemmt die Jacke ihres Sohnes und einer der Handschuhe in so einem unnatürlichen Winkel, dass es auf den ersten Blick aussah, als ob Than selbst unter dem Holz verborgen wäre.

An eine Reparatur der Netze war nicht mehr zu denken. Da, wo Teile davon unter dem Stamm hervorlugten, waren sie entweder dünn gerieben oder sogar vom Rest getrennt. Sie versuchte sich zwar einzureden, dass ihre umsorgten Schafe und Rinder ihnen eine Weile als Nahrung dienen konnten, aber sie konnte sich nichts vormachen. Mit ihrem mittelalterlichen Hausstand waren sie nicht in der Lage, größere Mengen Fleisch zu konservieren. Selbst ihre relativ großzügigen Salzvorräte würden nicht für das Pökeln reichen. Und auch ihr Baumbestand wäre ohne das Treibgut, was sie überwiegend zum Feuern nutzen konnten, schneller abgeholzt, als sie ihn wieder nachpflanzen könnten.

Resignation machte sich in ihr breit, und trotz der Kälte konnte sie nicht die Energie aufbringen, zügig zum Haus und in die Wärme zurückzukehren. Sie folgte der Furche langsam wieder die Lichtung hinauf und zerrte kräftig an den hervorguckenden Tauen der Netze, obwohl sie wusste, dass es vergebens war. Dann nahm sie das scharfe Messer, das sie immer bei sich trug, und schnitt so gut sie konnte die Reste ab. Schwer beladen mit all dem, was von den Netzen zu retten war, machte sie sich auf den Weg zurück.

Die Tür zum Schuppen war angelehnt. Ein intensiver Geruch nach Schaf und Kuh schlug ihr entgegen, als sie die Tür ganz aufstieß und mit ihrer schweren Last in den Raum wankte.

„Die Netze?" Fragend schaute Vohn auf das Bündel in ihren Armen, das aus abgerissenen Tauenden und dicken Knoten bestand. „Than war hier und hat es mir erzählt. Da ist wohl nicht mehr viel zu retten."

Mehr Worte verloren sie nicht über den Vorfall, aber ihnen beiden war klar, dass ihre Situation nicht einfacher würde. Resigniert wandte sie ihren Blick ab und stutzte. Schon wieder lagen die aufdringlichen Reste seines Pfeifenrauchs in der Luft. Dabei hatte sie eigentlich gehofft, dass er an den neuen Verschlägen arbeiten würde, damit sie fertig waren, bevor es noch kälter wurde. Die Tiere kamen neugierig auf sie zu und hofften auf eine Extraportion Futter oder Streicheleinheiten, die sie sonst üblicherweise bei Jithas Besuchen erhielten.

„Ich schaue lieber mal nach Than. Kommst du bald?"

Vohn nickte ihr zu. Er horchte, wie sie hinter sich die Tür zum Schuppen schloss. Ihre Schritte knirschten auf dem gefrorenen Gras, als sie zum Haus ging. Dann ging er zu einer der Holzkisten und griff sich seine Pfeife. Er krümelte etwas von seinen Vorräten in den Pfeifenkopf und zündete sie an.

Was für eine Katastrophe ihr Leben doch war. Ihre Abgeschiedenheit, der Fluss, die Gefahr durch die giftigen Wasserschlangen, die Angriffe der Follots und dann noch die bläulich schillernden Käfer, die sich zu Tausenden über ihre Vorräte hermachten, wenn sie diese allzu sorglos liegen ließen. Aber mit jedem Zug des blauen Rauches wurden diese Gedanken weggetragen. Bis sie irgendwann verschwanden.

In den kommenden Wochen verstärkte sich die Kälte. Than hatte Fieber und einen kräftigen Husten. Es schien lange so, als ob er sich gar nicht von seinem unfreiwilligen Bad im Fluss erholen wollte. Und obwohl Jitha ihm täglich allerlei Mixturen aus selbst gesammelten Kräutern gab, verfehlten sie bei ihm ihre Wirkung.

Seine Eltern machten ihm keine Vorwürfe, aber er spürte genau ihre Stimmung. Dabei hatte er bewusst die Angriffe der Wasserschlangen aus seinen Erzählungen herausgelassen.

Es gab zwei Dinge, über die Than sich immer wieder den Kopf zerbrach, als das Fieber irgendwann ganz langsam sank und er wieder begann, klar zu denken. Zum einen fragte er sich, wie sie zukünftig die Fische aus dem Fluss bekommen konnten. Er versuchte aus allem, was sich auch nur irgendwie eignen könnte, Angeln und Netze zu basteln. Doch eigentlich wusste er, dass es reiner

Aktionismus war. Seine Konstruktionen waren viel zu instabil, um dem Fluss standzuhalten.

Und dann war da noch eine zweite Sache, die ihm keine Ruhe ließ. Warum ging sein Spiel nicht auf? Warum war er fertig, obwohl noch einige Kiesel übrig waren? Er war sich bewusst, dass ihm dieser Umstand das Leben gerettet hatte. Denn durch das Nachzählen war er nur zufällig aus der Schusslinie geraten. Aber warum hatte er noch Steine übrig? Er wusste, verzählt haben konnte er sich eigentlich nicht beim Sammeln. Oder? Er machte das Spiel schon zu lange und wusste, wie viele Steine er für jeden Durchgang brauchte.

Am liebsten wäre er rausgegangen, um sich draußen noch einmal am Fluss umzuschauen, aber der strenge Blick seiner Mutter, wenn er Andeutungen in diese Richtung machte, verbat ihm das auch ohne Worte. Zwangsläufig verbrachte er viel Zeit mit sich, seinen Gedanken und Tüfteleien. Aber so hartnäckig, wie sein Infekt auch war, irgendwann fand er endlich sein Ende.

Eines Morgens wurde Than von den Sonnenstrahlen geweckt, die in sein Fenster schienen und die schon so viel Kraft besaßen, dass sie ihn wärmten. Er spürte so viel Kraft in sich, dass er wusste, sein Infekt war vorbei. Es war ruhig im Haus. Ein gutes Zeichen, denn wenn seine Eltern noch schliefen, dann konnten sie ihn auch nicht aufhalten. Schnell sprang er aus dem Bett und machte sich voller Neugierde und mit leerem Magen auf zum Fluss.

Nach seinem schwungvollen Start spürte er schnell, dass die Zeit im Haus und seine Krankheit ihn sichtlich geschwächt hatten. Trotz seiner anfänglichen Energie bemerkte er, wie ihm jedes Mal schwindlig wurde, wenn er sich nach einem Kiesel bückte. Aber er war froh um dieses Spiel. Denn es ermöglichte ihm in regelmäßigen Abständen eine Atempause.

Am Ufer setzte Than sich auf den Baumstumpf, an dem er nur vor wenigen Wochen knapp dem Tod entgangen war, und blinzelte in die Sonne. Das Wasser spiegelte trotz der rauen Strömung das helle Blau des Frühlingshimmels. „Komisch", dachte er, „der Fluss sieht so ganz anders aus. So freundlich." Auch das Ufer wirkte verändert. Frisches Grün wuchs bereits leicht über die Löcher, in denen die Pfähle zuvor fest in der Erde verankert waren.

Er kramte in seiner Hosentasche und zog den ersten Kiesel heraus. Konzentriert begann er, die erste seiner Kerben am Uferrand anzupeilen, bevor er den ersten Stein warf. Klack … Daneben. Beim nächsten Wurf versuchte er, noch mehr die Augen zusammenzukneifen, um gegen die Sonne besser zielen zu können. Er visierte die nächste Kerbe an. Klack … Wieder vorbei. Klack … klack … klack … Ärgerlich machte er weiter. Aber Wut auf sich selbst war ein schlechter Helfer, und so wurden seine nächsten Versuche auch nicht von Erfolg gekrönt. Runde um Runde verfehlte er seine Kerben.

„Du bist nur ein wenig aus der Übung", beruhigte er sich.

Das schien zu helfen. Die nächsten Würfe wurden nur langsam besser, und sein alter Schwung kam zurück. Dann war der letzte Durchgang durch. Than stutzte und rieb sich nachdenklich das Kinn. Wie schon beim letzten Mal hatte er wieder ein paar Steine übrig behalten. Diesmal waren es sogar noch mehr. Jetzt zählte er von seiner Position aus die Kerben. Er kam auf achtzehn. Viel weniger, als es mal waren. Than trat näher an die Felskante, hinter der der Fluss toste. Keine der Einkerbungen war von Moos überwachsen oder verdreckt. Sie waren einfach weg.

Er ging weiter zur Bucht und betrachtete jede einzelne seiner Markierungen. Und dann sah er es. Ganz links, da wo die letzte Kerbe knapp über den Wellen lag, konnte er unter Wasser eine weitere Markierung ausmachen. Und darunter noch eine. Der Wasserspiegel war gestiegen. Er war ein ganzes Stück höher, als er es bei seinem letzten Besuch war. Fassungslos starrte er auf die Einkerbungen, die er im Fluss ausmachen konnte.

Dann rannte er, trotz seiner Schwäche, den Weg zum Haus hinauf. Ab und zu stolperte er und fiel hin. Aber er rappelte sich immer wieder schnell auf und klopfte sich die Erde von der Hose. Oben angekommen, stürzte er außer Atem über die windgeschützte Veranda ins Haus. Aber es war leer. Er trat wieder nach draußen und sah sich suchend um. Aus dem Stall hörte er leise Stimmen. Sie stritten sich. Es ging um die kaputten Netze, um ihre Zukunft. Er hörte seine Mutter laut schluchzen und prallte zurück. Dann drang ein niedergeschlagenes

Murmeln zu ihm. Sein Vater.

In diesem Augenblick beschloss Than, seine Neuigkeiten für sich zu behalten.

## 2 Die Odonen

Jitha hoffte jeden Tag auf ein Wunder. An diesem Morgen fütterte sie die Tiere, als sie vom Stall aus hörte, wie die Haustür zuschlug. Kurze Zeit später knirschten Schritte auf dem Weg, die langsam leiser wurden. Immer wieder unterbrochen von einer kurzen Pause. Das musste Than sein. Er ging zum Fluss.

Sie wusste, dass sie mit ihrem Mann reden musste. Jetzt gleich, wenn sie mit den Tieren fertig war. Sie hielt die Spannung nicht mehr aus. „Bald müssen wir das erste Tier schlachten", platzte sie heraus, als sie zu zweit am Frühstückstisch saßen, hielt dann aber doch inne. Ihre Augen suchten seine, und sie versuchte in ihnen zu lesen.

Vohn nahm ein Stück Brot aus dem Korb und hielt es fest.

„Es muss sein. Unsere Vorräte reichen nicht bis zur neuen Ernte."

Er wich ihrem bohrenden Blick aus.

„Es muss sein. Vohn. Was sollen wir sonst essen?"

„Nicht die Tiere." Seine Worte waren fast ein Flüstern, und sein Hals fühlte sich an, als ob eine riesengroße nasse Socke in ihm steckte. „Sie sind das Wertvollste, was wir haben."

Beide wussten, dass die Kühe und Schafe ein Geschenk des Himmels waren. Sie versorgten sie mit Milch, Wolle und allem, was sie daraus herstellen konnten. Die Tiere waren alt, bis auf wenige Ausnahmen. Auch sie schienen ihre Gefangenschaft instinktiv zu spüren und bekamen nur selten Nachwuchs.

„Vohn, was sollen wir essen?", fragte sie noch einmal.

Eine Antwort bekam sie nicht. Vohn drückte das Brot, was er noch immer in der Hand hielt, zusammen. So angespannt war er.

„Was sollen wir machen?"

„Sie wollen uns umbringen." Vohn ließ die Schultern sinken. „Sie wollen uns umbringen, Jitha. Diese verfluchten Mörder. Und manchmal denke ich, sie wissen, dass es uns noch gibt, und genießen es, uns zugrunde gehen zu sehen."

„Nein." Jitha stand auf und schüttelte ihren Mann. „Es war ein Zufall, ein Unfall mit den Netzen. Sie wissen nichts von uns."

„Aber warum geht dann die Flut nicht zurück? Und woher sind in den letzten Jahren die Follots und die giftigen Wasserschlangen gekommen? Sie waren doch früher nicht hier."

Die Frage hatten Jitha und er sich schon oft gestellt, ohne

eine Antwort darauf zu finden. Aber ihre Vermutung ließ kaum Raum für Optimismus. Ihr Leben hatte sich schlagartig mit der Flut geändert. Plötzlich war da gar nichts mehr. Nur noch Wasser. Nicht nur einfach Wasser, sondern ein reißender Strom, in dem in den ersten Tagen so viele Leichen schwammen, dass sie diese nicht zählen konnten.

Angst hatte ihr Volk, die Ihmada, schon immer vor den Odonen gehabt. Den brutalen Odonen, die in dem unwirtlichen Gebirge im Osten herrschten. Die wie Tiere in ihr Tal kamen und ihre Vorräte plünderten. Die wie aus dem Nichts auftauchten, mordeten, entführten und eine Spur der Verwüstung im Dorf und Angst in ihren Herzen zurückließen. Angst vor ihrem Vernichtungswahn. Ihrer Kälte. Ihrem unbedingten Herrscherwillen. Ihrer Kompromisslosigkeit.

Das Leid, das die Odonen ihnen über die Jahrhunderte immer und immer wieder zugefügt hatten, war unvorstellbar grausam. Plünderungen, Vergewaltigungen, Feuersbrünste. Mit allen zur Verfügung stehenden Mitteln hatte das brutale Volk aus dem gigantischen Gebirgszug versucht, des fruchtbaren Landes habhaft zu werden, das die Ihmada seit Urzeiten bewohnten.

Ihre Vorfahren, die friedliebend wie sie waren, hießen die Odonen willkommen, die so plötzlich aus dem Nichts kamen. Sie wurden arglos und ohne Waffen mit offenen Armen empfangen. Denn das Tal der Ihmada war zwar reich und fruchtbar, aber durch seine Lage auch sehr abgeschieden. Auf einem Hochplateau gelegen, wurde es im Osten von dem hohen Gebirge begrenzt, das sich steil und fast willkürlich zu unüberwindbaren Gipfeln erhob. Im Norden und Süden wurde das schmale Tal von sanften Hügeln umrahmt, hinter denen sich spitze Felsen auftürmten. Nur im Westen gab es keinen Gebirgszug. Im Westen fiel das Hochplateau ebenso abrupt ab, wie die Berge im Osten aufstiegen. Durch das Gebiet schlängelte sich ein kleiner Bach, der sich am Rande des Plateaus tief hinabstürzte.

Da Besuch selten war, wurde jeder Händler und Besucher, der sich in ihre Heimat verirrte, als großer Glücksfall gesehen. Misstrauen war ihnen lange unbekannt. Dies änderte sich aber schnell nach den ersten Begegnungen mit dem neuen Volk aus den Bergen im Osten. So entstand ein immerwährender Krieg, in dem in regelmäßigen Abständen die Odonen mit immer neuen Taktiken aus den Bergen angriffen und versuchten, die fruchtbaren Täler und höheren Ebenen des Vorlandes zu erobern und alles Leben dort auszulöschen. Ein friedliches Nebeneinander schien undenkbar zu sein. Die Odonen wollten nicht teilen, sie wollten alles. Und das nur für sich.

Am schlimmsten war für Jitha und Vohn, dass es so zu sein schien, als ob die Odonen Helfer hätten. Dorfbewohner oder die seltenen Händler? Anders konnten sie sich nicht erklären, wie listig sie ihre Angriffe gestalteten und die Schwachstellen der Ihmada scheinbar voraussehen konnten. Auch verschwanden immer mehr

Menschen. Über Nacht. Junge Frauen, teilweise noch Mädchen, die in den Bergen Kräuter sammelten, aber auch Bergarbeiter, die von ihrer Arbeit in den Minen nicht zurückkamen. Es gab eine Delegation, die mit den Odonen um einen Frieden verhandeln wollte. Aber diese kehrte nie aus den Bergen zurück.

Und dann öffneten sie die Schleusen. Aus heiterem Himmel stürzten die ersten Wassermassen in das Tal. Der kleine Bach, der das Dorf teilte, schwoll in Minuten zu einem reißenden Strom an, der alles mit sich riss. Der Wasserstand stieg und stieg und schien sich aus einer unendlich großen Quelle zu speisen. Einer Quelle tief im Osten, im Gebirge der Odonen.

Auch wenn der Lebensraum der Odonen unwirtlich und karg war und kaum Nahrung bot, so hatten sie durch ihre gewaltigen Gebirgszüge etwas, das ihnen keiner nehmen konnte: Regen und Schnee.

Dies war keine Naturkatastrophe, keine Flut, von einem fernen Beben ausgelöst. Es war eine Falle. Ein Vernichtungsschlag, von langer Hand geplant und mitleidslos ausgeführt. Wie lange die Odonen planten, den Strom über das Land der Ihmada wälzen zu lassen, wussten sie nicht. Aber die Vermutung lag nahe, dass sie auf Nummer sicher gehen und warten wollten, bis auch der letzte Ihmada, der sich aus den plötzlichen Fluten retten konnte, wenn nicht aus Hunger, so vielleicht an Krankheit oder Verzweiflung gestorben war.

Da das Wasser noch floss, vermuteten Jitha und Vohn, dass es noch mehr Siedlungen wie ihre geben musste. Vielleicht nicht von ihrer Insel zu erkennen, aber dennoch. Und scheinbar mussten die Odonen von den höchsten Spitzen ihres Berges auf sie herabschauen können und darauf warten, dass der richtige Zeitpunkt kam, um die Fluten zu stoppen.

Die Follots, geierartige Vögel von der Größe eines Mannes, die immer häufiger zwischen dunklen Felsen oder im Schatten von Bäumen auf ihrer Insel lauerten, sie beobachteten und nur auf den richtigen Augenblick warteten, sie anzugreifen, waren vermutlich eigens von den Odonen gezüchtet, um die Ausrottung der letzten Ihmada zusätzlich zu beschleunigen.

Jithas Wut war schon seit Jahren verflogen. Sie versuchte, positiv zu wirken. Irgendwie schien das auch ihrer Stimmung gut zu tun. Solange sie sich nicht Träumereien über ihre Vergangenheit oder eine mögliche Zukunft hingab und es ihnen gesundheitlich gut ging, war sie sogar inzwischen oft zufrieden.

In den ersten Jahren war es nicht so. Sie konnte und wollte ihr Schicksal nicht akzeptieren. Wollte nicht wahrhaben, dass ihr einst so buntes Leben voller Freunde und Feste mit einem Schlag endete. Die Ungewissheit, was aus der übrigen Familie, ihren Eltern, Tanten und Onkeln, Cousinen und Cousins geworden war, belastete sie schwer.

Vohn und sie hatten das kleine Häuschen, in dem sie jetzt noch lebten, von einer alten Frau übernommen, die ihren Mann verloren hatte. Damals lag es eingebettet in eine hügelige Landschaft mit fruchtbaren Weiden, etwas oberhalb des Tals. Sie waren sofort Feuer und Flamme. Sie mochten die Dorfgemeinschaft, aber auch die Natur und sie träumten schon länger von einem eigenen kleinen Haus mit einem Kräutergarten und ein paar Tieren. Denn immer wieder verschwanden Frauen, die sich wie Jitha mit heilenden Kräutern auskannten, beim Sammeln in den Bergen. Dieses überschaubare Fleckchen Erde schien ihnen sicher. In ihr Zuhause hatte sie sich auf den ersten Blick verliebt. Mit seinen dicken Steinmauern wirkte es wie eine Festung. Und das war es auch. Im Winter hielt es die härteste Kälte ab und speicherte die Wärme in seinen Wänden. Im Sommer spendeten die massiven Steine Schutz vor der Hitze und hielten die Räume angenehm kühl.

Jitha war schon immer ein nachdenklicher Mensch gewesen, aber die Art ihrer Sorgen hatte sich durch das Unglück schlagartig geändert. In den ersten Jahren ging es allein darum, ihr Überleben zu sichern. Sie wurden fast über Nacht zu erfahrenen selbstversorgenden Bauern und prüften alles, was sie auf ihrer Insel fanden, auf dessen Nutzbarkeit. Im Frühjahr und Sommer musste bereits an den Winter gedacht werden, und einige Fehleinschätzungen, die ihre Vorräte oder die Dauer des Winters betrafen, hätten sie fast das Leben gekostet. Auch Than lieferte ihr natürlich immer wieder Anlass zur

Sorge. Er war die Zukunft. Als die Flut kam, war er erst drei. Zu klein, um noch intensive Erinnerungen an ihr altes Leben zu haben. Trotzdem litt er unter ihrer Einsamkeit. Jitha merkte, wie schwer es war, dem Jungen den Optimismus nicht zu nehmen. Er wurde älter, und sie sprachen immer wieder über die Flut und die Odonen. Und die bohrenden Fragen, die Than stellte, wurden von Mal zu Mal schwerer zu beantworten, ohne ihm das Gefühl zu geben, dass sie verloren waren.

Jitha riss sich aus ihren Gedanken. Sie fühlte sich irgendwie erschöpft und wechselte das Thema. „Er wird erwachsen."

„Ich weiß", brummte Vohn.

„Er gibt sich nicht mehr mit unseren Erklärungen zufrieden."

„Hmmm."

„Ich spüre, er will raus. Ihm reicht es nicht mehr, mit uns unser Schicksal widerstandslos zu teilen."

„Hmmm."

„Er will sich beweisen und ich habe Angst. Der Unfall mit den Netzen, sein Sturz in den Fluss. Ich mache mir Sorgen. Was ist, wenn er sich ernsthaft etwas tut? Was ist, wenn uns beiden etwas passiert?"

Vohn rückte näher an sie heran und zog sie fest an sich. „Ich weiß. Hoffentlich kommt er nie auf die scheinbar naheliegende Idee, ein Floß zu bauen und mit den Fluten flussabwärts zu schießen. Das haben schon einige vor ihm getan, und wir haben ihre Leichen gesehen. Er unterschätzt die Kraft des Wassers und denkt, er könne es bezwingen."

Jitha schüttelte müde den Kopf. „Ich glaube, jetzt nicht mehr. Sprich mit ihm", bat sie Vohn. Mit dringlicher Stimme fuhr sie fort: „Wir haben lange genug versucht, ihm nicht so viel zu erzählen, um ihn zu schützen. Aber er wird älter und macht sich seine eigenen Gedanken. Er muss wissen, wie es um uns steht." Vohn schwieg. „Er ist den ganzen Tag da draußen und wir wissen nicht, was er tut. Geschweige denn, was in seinem Kopf vorgeht. Bitte."

Jitha drückte sich an ihn. Sie wussten beide, dass dies keine leichte Aufgabe werden würde. Jahrelang hatten sie versucht, vor Than so zu tun, als ob sie auf der Insel ein halbwegs normales Leben führen würden und ihr Schicksal und die Umstände ihrer Abgeschnittenheit zwar nicht schön, aber akzeptabel wären.

Aber jeder Unfall und jede unvorhergesehene schlechte Wetterperiode schürten auch ihre Ängste, dass es einen von ihnen härter treffen könnte. Auch ihre Vorräte und das Futter für die Tiere im Winter fielen nicht vom Himmel und mussten mühsam herangeschafft und eingelagert werden. Ein Sturm in der Reifezeit des Getreides konnte eine ganze Ernte zunichtemachen und auch das unreife Obst von den Bäumen schlagen, so dass es kaum noch zu verwenden war, wie sie bereits leidvoll erfahren mussten. Und auch ein zu heißer Sommer konnte Obst, Gemüse und Getreide verdorren lassen, bevor sie mit der Ernte beginnen konnten.

Außerdem vermissten sie ihre Gemeinschaft und die Lebendigkeit ihres alten Lebens. Auch das war ein Grund, warum Jitha vor Than kaum noch über frühere Zeiten sprach. Die Erinnerung an diese aus der Ferne betrachtete schöne und relativ unbeschwerte Zeit stimmte sie traurig und machte ihr schmerzhaft bewusst, wie sehr ihr Familie und Freunde fehlten.

Vohn räusperte sich. „Du hast recht." Seine Stimme klang leicht resigniert. „Wir machen uns etwas vor, wenn wir glauben, wir könnten Than vor den Gefahren des echten Lebens und von allem Schlechten fernhalten. Ich hatte es zwar gehofft, aber wenn wir nicht mit ihm reden, dann droht ihm viel größere Gefahr."

„Redest du mit ihm?"

„Gleich heute Abend."

Erleichtert atmete Jitha auf.

## 3 Die Weiden

Zuerst saß Than noch eine Weile in der Sonne auf der Veranda und summte entspannt vor sich hin. Doch dann packte ihn der Tatendrang. Zuerst ging er um das Haus und holte sich ein großes Stück Käse aus ihrer Vorratskammer, ein ausgeschachtetes Erdloch zwischen Haus und Stall. Einen Moment stutzte er. Die Vorratskammer war ungewöhnlich unordentlich. So kannte er seine Mutter gar nicht. Normalerweise hielt sie akribisch Ordnung und ermahnte seinen Vater und ihn ständig. Auch die Vorräte schienen seit seinem letzten Besuch vor der Katastrophe am Fluss stark geschrumpft zu sein. Er rückte alle Lebensmittel und Flaschen in Reih und Glied zurück und grinste bei dem Gedanken daran, wie überrascht seine Mutter sein würde, wenn sie entdeckte, dass er freiwillig Ordnung geschafft hatte.

Dann stromerte er ziellos über die terrassenförmig angelegten Weiden, die sich hinter dem Haus um den Hügel legten und von Weitem aussahen wie von Riesen geschaffene flache Treppenstufen. Die Kühe und Schafe genossen den ersten Freilauf des Jahres. Seine Eltern mussten sie in der Früh aus dem Stall gelassen haben. Er setzte sich auf den flachen Stein vor ihm und beobachtete die Tiere mit ihrer unbändigen Freude, der

Enge des Stalls entkommen zu sein. Hier, in der Nähe der alten Quelle, hatte er schon als Kind viel Zeit verbracht.

Ursprünglich war unter ihm der Zugang zu einer großen Höhle, die den Vorbesitzern ihres Hauses als Wasserspeicher diente. Aber seit er denken konnte, war dieser leer. Die Quelle, die den unterirdischen Raum früher speiste, war kurz nach der Flut versiegt. Seine Eltern nutzten nur noch den überirdischen Teil der Konstruktion, die zum Haus und zu den Tränken der Tiere führte. Provisorisch hatten sie übrig gebliebene Leitungen aneinandergeflickt und zum Fluss hinabgelassen. Nachdem sie das erste Wasser durch die Rohre nach oben gesaugt hatten, floss aus ihnen kontinuierlich ein kleiner Strom in das System. Und auch wenn diese Konstruktion einmal durch Wellengang oder Erschütterungen kurzzeitig aussetzte, konnte selbst Than sie ohne Probleme wieder in Gang setzen.

Than hatte auf einem seiner ersten kindlichen Streifzüge den Zugang zu der Höhle entdeckt. Mit viel Geschick hatte er die Abdeckung, auf der er jetzt saß, zur Seite geschoben und war heimlich nach unten geklettert. Damals faszinierte ihn die Höhle mit den parallel übereinanderliegenden Moosrändern, die jeweils dann neu wuchsen, wenn der Wasserstand länger auf einer Höhe blieb. Hier war lange sein Rückzugsort, sein Heim, wenn seine Eltern mit ihm schimpften oder er dem dumpfen, trostlosen Gefühl entkommen wollte, das sie manchmal auszustrahlen schienen, wenn sie über die Flut sprachen.

Aus dem ersten Raum konnte er in einen zweiten klettern, der deutlich kleiner war. Beide waren durch einen ausgeklügelten Verschlussmechanismus, der an der Oberfläche bedient wurde, voneinander abzuriegeln. Ursprünglich diente die Verriegelung als Schleusentor, das immer dann heruntergelassen wurde, wenn die erste Höhle aufgrund starken Regens zu voll lief und der entstehende Druck dazu führte, dass die Leitungen zum Haus nicht mehr hielten. Mit einer kleinen, fünfeckigen Metallscheibe, die als Schlüssel diente, konnte er die Arretierung lösen und das Tor zum Spielen herunterlassen.

Als sein Vater hinter sein Versteck kam, bekam er gehörig Ärger. Das einzige Mal in seinem Leben rutschte seinem Vater die Hand aus. Voller Wut zerrte er Than aus der Höhle und brüllte ihn an. Erst viel später begriff Than, dass wohl die Angst seinen Vater dazu getrieben hatte, denn das System war marode und das schwere Schleusentor hätte jederzeit auf ihn hinabstürzen können, um ihn unter sich zu begraben.

Ob er noch einmal herunterklettern sollte?

Aus den Augenwinkeln nahm er eine Bewegung weit entfernt am Himmel wahr, die ihn aus seinen Überlegungen riss. Und weil er nichts Besseres zu tun hatte, folgte er mit den Augen den kleinen schwarzen Punkten, die sich der Insel näherten. Es waren Rabenkrähen. Nicht schön, dreist und auf alles versessen, was ihnen Nahrung bot. Er machte sich schon innerlich darauf gefasst, dass sie ihm sein Essen streitig machen wollten, aber sie schienen dann doch ein anderes Ziel anvisiert zu haben und verschwanden wieder aus seinem Blickfeld.

Than widmete sich seiner Mahlzeit. Aber das entfernte Krächzen der Krähen unterbrach ihn erneut. Er stand auf und suchte den Himmel und das Gelände ab. Es war nichts zu sehen. Hinter seinem bequemen Sitzplatz auf dem sonnenbeschienenen Stein streckte sich allerdings ein schroffer Felsen in die Höhe und versperrte ihm das Sichtfeld. Und genau aus dieser Richtung schienen die Geräusche der Vögel zu kommen.

Neugierig versuchte er rechts und links um den Felsen herumzuschauen. Dort versperrte ihm dichtes Gestrüpp den Blick. Sein Hunger war vergessen. Zwar hatte er seinen Eltern versprochen, sich dem steilen Gipfel ihrer Insel mit dem lockeren Gestein nicht zu nähern, aber dieser Gedanke durchzuckte ihn nur kurz und war dann wieder vergessen. Genau wie die Warnungen seiner Eltern, die ihm immer erklärten, wie stark das steile Stück Felswand kurz vor dem Gipfel von Wind und Wetter angegriffen war und dass dadurch jeden Augenblick Gesteinsbrocken herunterfallen und ihn treffen konnten.

Den Beweis ihrer Worte fand er direkt zu seinen Füßen. Dort lagen wild verstreut unterschiedlich große Steine. Teilweise schon verwittert und von Gestrüpp überwachsen. Zum Teil aber auch kürzlich dazugekommene Brocken, die er an der frischen Fläche erkennen konnte, an der das Gestein bis vor Kurzem noch mit dem großen Felsen verbunden und dadurch heller war. Gerade die kürzlich gelösten Steine hatten eine beachtliche Größe.

Than legte den Riemen seiner Tasche quer über die Schulter, damit sie nicht verrutschen konnte, und schnallte den Gurt enger. Er musste ein wenig in die Höhe auf einen Felsabsatz kraxeln, wenn er die Vögel wieder ins Blickfeld bekommen wollte. Und dafür brauchte er zwei freie Hände.

Schnell zog er sich an einem Felsvorsprung etwas nach oben, bis seine Füße Halt an einer kleinen Kante bekamen. Schon spürte er, wie unter dem Zug seiner Hände ein Teil des Steines abbrach und feiner Sand die Wand herunterrieselte. Er prüfte seinen Stand, und als er das Gefühl hatte, der kleine Vorsprung könnte trotzdem sein Gewicht halten, löste er die Hände und griff erneut nach oben. So bewegte er sich langsam immer weiter hinauf. Immer wieder prüfte er, ob seine Hände und Füße genug Halt hatten, bevor er sie belastete. Dabei brachen unter seinen Füßen bei jedem Tritt neue Gesteinsbrocken ab und fielen auf den Boden.

Nach und nach konnte er die Reaktion des Gesteins besser einschätzen. Das letzte Stück kam er zügig voran. Mit einem kräftigen Schwung zog er sich über die Kante und sah ein kleines, von spitzen Steinen umrahmtes Plateau vor sich. Bisher waren er und seine Eltern davon ausgegangen, dass der Felsen oben spitz zusammenlief, denn von unten war das Plateau nicht einmal ansatzweise zu erahnen. Noch ein letzter Zug und schon konnte er mit dem Oberkörper über den Rand robben und kam oben schwer atmend zum Liegen.

Nach einer kleinen Pause sah er sich um. Es war ein atemberaubend schöner Blick. Das Plateau war zwar klein, aber völlig eben bis zu einer kleinen Spitze, die sich gen Osten in Richtung des großen Gebirges der Odonen erhob. Von hier aus konnte Than auch wenige weitere Inseln im kilometerbreiten Fluss erahnen, aber die Umrisse waren von weißer Gischt umhüllt und zu weit entfernt, um Näheres zu sehen. Zwischen den Steinen, die das Plateau wie ein natürlicher Zaun einsäumten, wuchsen zahlreiche Blaubeersträucher. Insgeheim freute er sich schon, zur Erntezeit hier heraufzukommen, um die Beeren zu ernten. Sie hatten zwar auch am Haus ein, zwei Sträucher, aber längst nicht so viele wie hier, und ihre Ernte war bisher auch eher dürftig.

Die Rabenvögel sah er auch. Sie hatten sich direkt vor der Felsspitze, der höchsten Erhebung ihrer Insel, niedergelassen und hüpften auf dem spärlich mit Gras bewachsenen Boden. Ein besonders vorwitziger Vogel versuchte immer wieder, in das grüne, dichte Gestrüpp vorzudringen, wurde von spitzen Dornen abgehalten und beschwerte sich darüber scheinbar laut krächzend bei seinen gefiederten Artgenossen.

Than ging auf sie zu und guckte sich die Stelle genauer an. Die Sträucher waren hier auch für ihn fast undurchdringlich, und er konnte kaum etwas in dem Inneren des Gestrüpps erkennen. „Schade, dass ich kein Licht dabei habe", dachte er sich und versuchte mit bloßen Händen, den Bewuchs zu teilen. Aber die Stacheln waren zu spitz und hinterließen sofort tiefe Kratzer in seiner Haut.

Er suchte das Dickicht nach einer lichteren Stelle ab, musste aber resigniert feststellen, dass er ohne entsprechende Ausrüstung hier nicht weiterkam. Zurück wollte er nach seiner neuen Entdeckung aber auch nicht. So erkundete er den kleinen Platz genauer.

Die von hier hinaufragende Felsspitze war so hoch und breit, dass sie komplett den Blick zum Gebirgszug verbarg. Oder umgekehrt, ihn vor einem möglichen Blick der Odonen schützte. War das ein Zufall? Von dort aus konnte man sicher nur einen spitzen Felsen sehen, der massiv wirkte. Von Thans Standpunkt aus sah er eher wie die hohe, glatte Kulisse eines Theaters aus. Etwas unnatürlich und eher wie ein künstlich entstandener Sichtschutz. Und auch die Einfassung des Plateaus wirkte auf den zweiten Blick noch mehr wie ein Zaun. Die Steine sahen bei näherer Betrachtung wie von Menschen behauene Quader aus. Die Felsbrocken waren in gleichem Abstand aneinandergereiht, immer mit Platz dazwischen für einen Blaubeerstrauch. Ihre ursprüngliche graue Farbe war durch einen dichten Bewuchs von grünen und türkisfarbenen Flechten verdeckt. Nur zwischen zwei Steinen der Abgrenzung war deutlich mehr Platz.

Er ging näher an die Stelle heran und stellte sich auf einen der Steine. Weit nach unten über den Rand konnte er von hier nicht schauen, dafür war der Bewuchs zu dicht. Aber das, was er sah, bestärkte seine Vermutung. Hier waren Menschen am Werk gewesen und hatten diesen Flecken geschaffen und gestaltet.

Vor ihm deutete sich leicht ein kleiner, völlig überwucherter Pfad an, der scheinbar lange nicht benutzt worden war. Than war froh, einen leichteren Abstieg gefunden zu haben, und wandte sich wieder dem Felsen zu. Die Rabenvögel krächzten noch immer aufgeregt um die dichten Büsche herum und schienen ihren Frust über die natürliche Barriere herauszuschreien.

Er versuchte ein zweites Mal, weiter in das dornige Dickicht vorzudringen. Die Vögel gaben Ruhe, so als ob sie verstehen würden, dass Hilfe nahte, und beäugten ihn neugierig mit ihren glänzenden schwarzen Augen. Aber auch dieser Versuch, sich einen Weg zu bahnen, schlug fehl. Er beschloss, sich auf den Heimweg zu machen und am nächsten Tag mit entsprechender Ausrüstung wiederzukommen.

Sofort fand er den überwucherten Pfad wieder, der kurz hinter dem steinernen Zaun begann. Er war steil und barg durch einige Baumwurzeln gefährliche Stolperfallen. Trotzdem war er leichter zu begehen, als er dachte. „Warum habe ich diesen Pfad noch nie zuvor gesehen?", fragte Than sich. Als er nach ein paar weiteren Schritten wieder unten war, sah er auch schon die Antwort. Kurz vor der Wiese verdeckte ein großer Gesteinsbrocken den Blick auf den Pfad. Than war sich sicher, hier hatte jemand ein Versteck geschaffen. Und eins wusste er: Seine Eltern waren es nicht. Das hätten sie ihm gesagt.

Durch seine Erkundungstour war doch mehr Zeit vergangen, als er dachte, und die Sonne verschwand allmählich am Horizont. Die Bäume strahlten dabei in einem merkwürdigen Glanz, weil sie vom letzten Licht von unten beschienen wurden, während die oberen Seiten der Blätter im Schatten lagen. Mit den letzten Sonnenstrahlen schaffte er es die Wiesen hinab nach Hause.

Als er um die Ecke vor dem Haus bog, stieß er noch immer voller Schwung fast mit seinem Vater zusammen, der gerade dabei war, Holz für den Ofen zu spalten. Vohn hielt kurz inne und nickte seinem Sohn zur Begrüßung zu. Than nickte zurück. So viel Herzlichkeit musste unter ihnen Männern reichen. Er musste sich außerdem waschen, bevor es Abendessen gab. Auch darauf legte seine Mutter größten Wert.

Dank eines ausgeklügelten Systems hatte sein Vater schon vor seiner Geburt den Lauf einer Quelle so zum Haus umgeleitet, dass sie zum Trinken, Kochen und Baden auf fließendes Wasser zurückgreifen konnten und nur im kältesten Winter die Leitungen von unten mit kleinen Feuern erwärmen mussten, damit das Wasser ständig floss. Sogar im ersten Stock verfügten sie im

Badezimmer über Wasser, ohne dass sie ständig Kannen und Eimer schleppen mussten.

Sein Vater machte Feuerholz. Es rumpelte vor der Tür, wenn die Holzspalte zur Seite sprangen. Kurz nachdem das Geräusch verstummte, hörte er unten die Haustür schlagen.

Die Abendmahlzeiten nahmen sie immer zusammen ein. Während morgens jeder dann aß, wenn er wach wurde, war das Abendessen bei ihnen ein unumstößliches Ritual. Hier kam alles auf den Tisch, was sie der Natur abgerungen hatten. Neben einem groben Brot waren dies natürlich Butter und Käse, manchmal Kräuterquark, wertvoller Honig, da sie nur wenige Bienen auf ihrer Insel hatten, Bratkartoffeln und Gemüse. Die Reste des letzten geräucherten Fisches waren leider schon aufgezehrt. Mit etwas Glück gab es zum Nachtisch Pudding mit Früchten, das hing von der Laune seiner Mutter ab.

Das Essen verlief meist schweigend. So auch an diesem Tag. Es gab Thans geliebten Pudding mit Pflaumenkompott. Er aß so viel davon, als ob es seine letzte Mahlzeit wäre. Etwas Besseres fiel ihm nicht ein, um nicht mit den Entdeckungen des Tages herauszuplatzen. Ihm war klar, dass er seinen Eltern noch immer nichts von dem steigenden Wasser sagen wollte, aber etwas hielt ihn auch davon ab, von dem Plateau zu berichten. Vielleicht war es Stolz, weil er etwas Neues auf ihrer Insel entdeckt hatte, von der seine Eltern dachten, sie würden bereits jeden Quadratzentimeter kennen.

Vielleicht war es aber auch die Befürchtung, dass seine Eltern ihm die weitere Erkundung des kleinen Plateaus verbieten würden, sobald sie davon erfuhren.

Seine Mutter stand relativ schnell auf und entschuldigte sich, weil sie noch einiges in der Küche machen wollte. Vohn wies mit einer Kopfbewegung zu der Wohnecke und sah Than fragend an. Sie wechselten schweigend auf ihre gemütlichen Sitzgelegenheiten an der Feuerstelle, in dem ein leichtes Feuer brannte. Es diente zu dieser Jahreszeit weniger der Wärme, sondern als behagliche Lichtquelle und vertrieb die immer in der Luft hängende Feuchtigkeit aus ihrem Haus.

Than staunte, als sein Vater hinter sich zu zwei Gläsern griff und ihnen beiden einen kräftigen Schluck Schnaps eingoss. Alkohol wurde in ihrem Haus selten getrunken, und er hatte nicht einmal gewusst, dass seine Eltern wieder einen kleinen Vorrat angelegt hatten. Er war bei diesen seltenen Vergnügen eigentlich außen vor. Aber das schien sich heute zu ändern.

Innerlich machte sich Than schon auf eine peinliche Eröffnung gefasst und hörte schon beinahe die Worte: „Mein Sohn, jetzt wo du alt genug bist …" Aber sein Vater sparte sich das.

Als sie beide ein volles Glas in der Hand hielten und es sich bequem gemacht hatten, streckte sein Vater ihm das Glas entgegen und stieß mit ihm an. Than nahm einen kräftigen Schluck, und die ungewohnte Schärfe des

Alkohols verschlug ihm fast den Atem. Er musste sich mit aller Kraft konzentrieren, um nicht laut loszuhusten. Er schielte zu seinem Vater, aber der hatte die Augen geschlossen. Dann nippte er nur leicht an dem Glas und begann zu erzählen.

„Wir waren sicher nicht immer glücklich damals, aber es war ein schönes Leben. In unseren Dörfern herrschte Überfluss, denn unser Land war fruchtbar. Wir mussten zwar arbeiten, aber längst nicht so viel, und es blieb Zeit für uns und für Familie und Freunde."

Von den früheren Angriffen der Odonen hatten seine Eltern nach den Schilderungen seines Vaters nur von ihren Eltern und den Älteren des Dorfes gehört. Es war für sie wie eine böse Legende, wie ein Vulkan, der lange Zeit ruhig war, um plötzlich und ohne große Vorankündigung wieder Unheil über die Menschen zu bringen. Sie wussten von den Kämpfen, die ihr Volk bereits geführt hatte. Von den Verlusten, die sie trafen. Aber immer war es so, dass ihr Land und die Menschen nur verwundet wurden, nie tödlich getroffen.

„Die Odonen waren vielleicht zunächst keine schlechten Menschen", räumte sein Vater ein. „Sie besiedelten das Land in den Bergen, das keinem so richtig gehörte. Ich glaube, die ersten Siedler waren Vertriebene, die von ihrer alten Gemeinschaft verstoßen wurden. Der Stamm wurde nach und nach größer, und somit wurde auch ihr Leben beschwerlicher, da der karge Gebirgsboden nicht genügend Nahrung für sie alle hergab. Der Gebirgszug gab auch keine anderen kostbaren Güter wie Erze, Gold oder Kupfer her, mit denen sie hätten Handel mit uns treiben können. Statt in fernere Gegenden umzusiedeln oder sich in unsere Gemeinschaft in den Tälern zu integrieren, wollten sie unser Land. Nicht aber uns. Sie wurden ein kaltes Volk, hart und grausam."

Vohn berichtete zum ersten Mal von den Sagen, die ihm bereits seine Eltern erzählten. Die Odonen kamen brutal in die Täler gestürmt und plünderten abgelegene Höfe. Sie nahmen alles mit, was sich transportieren ließ.

Ihr Aussehen war furchteinflößend. Durch Inzucht entstellte Gestalten, denen es Spaß zu machen schien, wenn andere vor ihrem Äußeren erschreckten. Es gab Gerüchte, dass sie auch Frauen aus der Dorfgemeinschaft verschleppten, um ihr degeneriertes Volk mit frischem Blut zu mischen. Um dieses Thema entstanden einige Sagen. In denen sollten sie es besonders auf junge, blasse, blonde elfengleiche Mädchen mit feinen Gesichtszügen und fast durchsichtiger Haut abgesehen haben, die im stärksten Kontrast zu ihrem eigenen Aussehen standen. Aber selbst im Volke der Ihmada war ein solches Aussehen selten. Denn die waren schlank und hochgewachsen, hatten dunkle Haare und die Haut hatte einen satten olivfarbenen Ton, der im Sommer durch die Sonne in ein dunkles Braun wechselte.

Ihr Volk stellte sich auf die Angriffe ein und schuf Schutzwälle, bildete engere Dorfgemeinschaften und gründete Spähtrupps, die sie schon von Weitem auf

Angriffe aufmerksam machen sollten.

Die Odonen überlegten sich ausgeklügelte Strategien, und es gelang ihnen, bei jedem Angriff mehr und mehr Vorräte von den Ihmada zu stehlen. Alle Versuche ihres Volkes, den Odonen bei der Bewirtung ihres kargen Landes zu helfen und ihr Wissen an sie weiterzugeben, damit diese sich selbst helfen könnten, schlugen fehl. Den Odonen fehlte anscheinend der Wille, mit eigener Kraft und Arbeit für ihr Wohlergehen zu sorgen. Ihre ganze Energie schien sich auf die kriegerische Übernahme der Täler zu konzentrieren.

Doch dann wurden die Phasen der Ruhe länger. Vohn vermutete, dass die Odonen schon vor Jahrzehnten begonnen hatten, ein System zu errichten, das zunächst die gegenüberliegende Seite ihres unwirtlichen Gebirgszuges von der Wasserversorgung abschnitt. So konnten sie sich wohl das dort lebende Volk Untertan machen. Sie schnitten sie nicht komplett vom Wasser ab, sonst hätten sie sich ja ihre Nahrungsquellen zerstört. Aber sie stauten Flüsse und Quellen im Gebirge auf und ließen sie nur dann fließen, wenn dafür entsprechend bezahlt wurde.

Durch den hohen Gebirgszug regnete es kaum in den Tälern zu beiden Seiten der Berge, nur ein paar höher gelegene Gebiete, wie der spätere Hof von Thans Eltern, bekamen ab und zu Regen ab und besaßen eine eigene Quelle.

Fast alles Wasser kondensierte in den Höhen und regnete an den Flanken der Berge ab. Die Odonen hatten über die Zeit zwar keinen Bodenschatz gefunden, mit dem sie in Handel treten konnten, aber eine viel wertvollere und unversiegbare Quelle der Macht: das Wasser.

Die Ihmada, die durch den Gebirgszug komplett von den anderen Stämmen auf der gegenüberliegenden Seite getrennt waren, ahnten nichts von diesen Entwicklungen. Keiner von ihnen rechnete auch nur ansatzweise damit, was für eine verheerende Zerstörung auf sie selbst zukam.

Der Tag der Flut kündigte sich mit einem heftigen Gewitter an. Schon morgens zogen sich hoch oben schwarze Wolken zusammen. Türmten sich immer mächtiger in die Höhe und verkündeten einen riesigen Wolkenbruch im Gebirge.

Thans Vater erinnerte sich: „Morgens ging ich ins Dorf. Schon auf dem Weg hinab sah ich fasziniert, wie sich das Wetter zusammenbraute. Donnergrollen kündigte das Unwetter an. Niemand ahnte, dass es kein normales Unwetter werden würde. Niemand konnte das Beben der Erde richtig deuten, das immer stärker wurde, je mehr sich die Wolken in den Bergen entluden."

Vohn war schon verwundert, dass die Flüsse und Bäche nicht anschwollen, wie es normalerweise bei einem Unwetter geschah. Unterbewusst merkte er, dass etwas anders war. Nicht zusammenpasste. Als er das Beben der

Erde spürte und die Tiere von einer inneren Unruhe und Angst getrieben aus den Ebenen flohen, wusste er, dass Unheil nahte. Instinktiv rannte er zurück zu ihrer Hütte. Zu Jitha, die mit dem kleinen Than zu Hause geblieben war. Das war ihr Glück. In letzter Sekunde konnten sie auf den Hang über ihrem Haus flüchten. Von dort aus sahen sie, wie plötzlich Wassermassen in ihr Tal schossen und alles mit sich rissen. Es kam ein Sturm auf, der ihnen durch und durch ging und sie durch seine Eiseskälte erstarren ließ.

Die Flut schoss auch knapp an ihrem Heim vorbei. Zerstörte Beete, riss Zäune mit und alles, was sich ihr in den Weg stellte. In dem Strom entdeckten sie grausiges Treibgut. Körper, die durch die Wucht des Wassers ertrunken oder durch mitgerissenes Gut erschlagen worden waren, Tiere, die wohl auf umzäunten Weiden gegrast hatten und nicht vor den Fluten fliehen konnten, ganze Hütten und Schuppen, riesige Bäume, die mit ihren Wurzeln ins Tal hinuntergetrieben wurden.

Erst später wurde ihnen klar, welch riesiges Glück sie gehabt hatten. Aber zunächst saß der Schock tief. Besonders, als sich der kräftige Strom in der kommenden Zeit kaum veränderte. Er ebbte etwas ab, blieb aber noch immer breit und floss mit unglaublicher Geschwindigkeit durch das Tal. Die Wassermassen bedeckten fast ihr gesamtes Land. Nur wenige Erhebungen waren am Horizont zu erahnen. Aber ob es dort noch Leben gab, wusste keiner von ihnen.

Zunächst war für sie unerklärlich, warum das Wasser nicht zurückging. In der ersten Zeit nach der Flut gingen sie davon aus, dass ihr Land wieder freigegeben würde und sie sich wieder mit ihrem Volk, oder denen, die davon überlebt hatten, vereinen und gemeinsam gegen die Odonen vorgehen konnten. Aber der Strom floss weiter mit unerbittlicher Kraft.

„Später wurde uns klar, dass die Odonen schon lange an ausgeklügelten Konstruktionen gebaut haben mussten. Ihre Raubzüge durch unser Land und ihre Plünderungen dienten nur der vorübergehenden Versorgung ihres Volkes und der versklavten Arbeiter. Sie müssen aus dem reichlich vorhandenen Stein hoch oben im Gebirge Blöcke geschlagen haben, um riesige Staudämme oder Wasserbecken zu errichten, die jeden Tropfen Wasser für sie auffingen und lenkbar machten. Und unsere Eltern wunderten sich noch, warum bei den größeren Angriffen nie Saatgut oder Geräte zur Feldarbeit gestohlen wurden, sondern gezielt Werkzeug zum Behauen und Transportieren von Steinen. Aber verstehen konnten sie es nicht, und scherzhaft wurde vermutet, dass die Odonen doch noch etwas Sinnvolles damit anstellten und ihr karges Land wirtlicher machten."

Thans Vater schwieg für einen Augenblick und nahm einen kleinen Schluck aus seinem Glas, das er während seiner Erzählungen gedankenverloren umfasst hatte.

„Deine Mutter und ich haben an den langen Winterabenden oft überlegt, wie der weitere Plan der

Odonen aussehen könnte", fuhr er fort. „Wir glauben, dass sie eigentlich hofften, uns alle mit dieser Flut zu vernichten, die so viel Zerstörung brachte. Aber es scheint nicht geklappt zu haben. Auch wenn wir nicht wissen, wo und wie viele von uns überlebt haben könnten, müssen es doch einige sein. Sonst hätten die Odonen die Fluten schon längst gestoppt."

Than schluckte. Er ahnte, was das bedeutete. Ein Blick zu seinem Vater bestätigte seine Befürchtung. Die Odonen würden warten, bis die übriggebliebenen Überlebenden so weit geschwächt waren, dass sie die Fluten stoppen und das Land besiedeln konnten.

„Und können wir nichts tun?", fragte er, bemüht, seine Stimme fest klingen zu lassen. Er wollte sich nicht anmerken lassen, wie bestürzt er war, von seinem Vater seine schlimmsten Ängste bestätigt zu bekommen. Und zum ersten Mal keimte in ihm der Gedanke auf, dass die Odonen die Fluten um ihre Insel herum bewusst steigen ließen.

„Ich weiß es nicht. Wir wissen es nicht. Wir haben alles versucht. Wir können nur auf ein Wunder hoffen."

Thans Vater erzählte ausführlich von ihren Versuchen in den ersten Jahren, durch den Bau eines Floßes zu anderen Inseln zu entkommen. Holz hatten sie zur Genüge. Zum Glück testeten sie ihre Konstruktionen zunächst unbemannt. Aber mit Erschrecken mussten sie feststellen, wie selbst die stabilste ihrer Konstruktionen von den tiefen schwarzen Strudeln in die Tiefe gerissen wurde, um dann, wenn überhaupt, Hunderte von Metern weiter flussabwärts in einzelne Teile zerrissen wieder aufzutauchen.

Außerdem grasten sie jeden Flecken ihrer kleinen Insel auf der Suche nach irgendetwas ab, was ihnen aus ihrer misslichen Lage helfen könnte. Im Schuppen des Hauses, der inzwischen als Stall diente, fanden sie dicke Bündel Seile, deren Herkunft und Funktion sie sich nicht erklären konnten. Aber sie lieferten beim Floßbau gute Dienste. Trotz ihrer hohen Motivation, alles zu tun, um zu überleben und sich zu befreien, waren ihre Kräfte beschränkt. Steckten sie ihre ganze Energie in die Ausarbeitung von Fluchtplänen und die Konstruktion von neuen Booten, so fehlte ihnen die Zeit, das Land zu bestellen und die Tiere zu versorgen. Also schränkten sie ihre Überlebenschancen auf ihrer Insel weiter ein, wenn eine Flucht misslang, weil ihnen spätestens im Winter die Vorräte ausgegangen wären. Steckten sie aber alle Kraft in die Bewirtschaftung ihres Landes und der Sicherung ihrer Nahrung, dann blieb keine Zeit für Fluchtpläne.

So gut wie möglich versuchten sie beides zu machen. Als Than größer wurde, stellten sie fest, dass es vernünftiger war, auf Rettung zu hoffen als mit ihrer kleinen verletzlichen Familie einen Fluchtversuch ins Ungewisse zu unternehmen.

Trotz ihres Lebens, das auf ein bestmögliches dauerhaftes Überleben auf ihrer kleinen Insel ausgerichtet war, lehrte Thans Vater ihn neben allerlei handwerklichen Fertigkeiten auch, wie er sich selber verteidigen konnte. Schon mit noch nicht einmal sechs Jahren durfte er mit seinem Vater im spielerischen Ringen auf den Wiesen üben, wie er sich mit einigen gezielten Griffen auch gegen größere und stärkere Gegner zur Wehr setzen konnte. Aus ihren lockeren Übungen wurde bald ein regelmäßiger Unterricht, in dem er neben Lesen und Schreiben auch im Kampf und in Selbstverteidigungstechniken unterrichtet wurde. Nachdem die Follots vor einigen Jahren das erste Mal bei ihnen aufgetaucht waren, studierte sein Vater auch diese neuen Feinde und lehrte Than und auch Jitha, wo sie ein sicheres Versteck fanden. Denn durch ihre scharfen Schnäbel am Ende ihrer langen Hälse konnten die Tiere so geschickt angreifen und die Opfer auf Abstand zu ihrem massigen Körper halten, dass es unmöglich war, sie zu töten.

Than liebte die Stunden mit seinem Vater und übte auch in seiner freien Zeit gerne mit Stock oder Messer, sich selbst gegen einen imaginären Gegner zu verteidigen.

„Und nun bist du größer, Than, und wirst erwachsen", sprach ihn sein Vater direkt an. „Wir merken, dass du in dir die gleiche Hoffnung und Energie hast, wie wir sie hatten, um etwas an unserer Lage zu ändern." Er schaute Than fest in die Augen. „Aber tue nichts, was dich in ernsthafte Gefahr bringen könnte." Vohn zögerte einen Augenblick und setzte hinzu: „Die Kraft und Unberechenbarkeit des Flusses hast du ja bereits am eigenen Leibe spüren müssen. Diesmal ist es gut ausgegangen, aber um ein Haar hätte der Stamm dich gerammt und wir hätten dich für immer verloren."

Than spürte, dass seine Eltern trotz allem noch einen Funken Hoffnung hatten. Nicht unbedingt für sich, aber für ihn, der noch jung und voller Tatendrang war. Falls es eine Rettung gab, wollten sie, dass auf jeden Fall er sie erlebte.

Mit dieser letzten Mahnung schloss sein Vater seinen Bericht.

## 4 Das Buch

Than konnte nicht schlafen. Unruhig wälzte er sich im Bett. In seinem Kopf wirbelten die Bilder wild durcheinander. Der Strom. Die veränderte Uferlinie. Die Kerben, von denen die untersten inzwischen kaum mehr im dunklen Wasser auszumachen waren. Die Blicke seiner Eltern an diesem Abend beim Essen. Fast dachte er, sie könnten seine Gedanken lesen. So betroffen wirkten die beiden.

Die ganzen letzten Wochen hatte er sich zutiefst schuldig gefühlt, weil ihre Netze zerstört wurden. Jetzt war es, als ob jemand ihn von einer dunklen Last befreit hätte. Aber nur, um ihm noch eine viel erdrückendere aufzubürden. Es ging nicht mehr darum, die nächsten Wochen und Monate über die Runden zu kommen. Es war gar nicht die Frage, ob sie alle satt werden würden, bis die ersten Pflanzen und Sträucher wieder Früchte trugen. Stieg die Flut weiter in diesem Tempo, dann würde ihr Haus bald vom Fluss mitgerissen werden.

Than konnte nicht im Bett bleiben. Leise schlich er die Treppe hinunter und bemühte sich, die knarzenden Stufen zu umgehen, indem er dicht am Rand auftrat. Er fühlte sich gerade jetzt in der Nacht, in der die Ablenkungen des Tages fehlten, so schutzlos und schwach mit dem Wissen, dass eine Katastrophe auf sie zukam, aus der es keinen Ausweg gab, und fürchtete sich davor, diese Ängste nicht für sich behalten zu können, wenn jemand herunterkommen würde, um nach ihm zu sehen.

Er setzte sich vor das Feuer im Wohnzimmer, starrte in das schwächer werdende Licht und hoffte, dadurch Ruhe zu finden. Selbst als die Glut kaum noch sichtbar unter den verkohlten Hölzern nur noch ab und zu aufglomm, wusste er, dass er noch immer keinen Schlaf finden würde. Zu sehr beschäftigten ihn die Erzählungen seines Vaters und die steigende Flut.

Rastlos stromerte er durch das dunkle, ruhige Haus. Vor der Haustür lagerte das Feuerholz, und er trat kurz hinaus in die sternenklare Nacht, um noch einige frische Scheite zu holen. Nachdem er das Feuer wieder entfacht hatte und es kräftig brannte, ging er zu den spärlich beschienenen Regalen und betrachtete die Bücher. Vielleicht konnte ihn eine spannende Geschichte ablenken und ihre Situation für eine Weile vergessen lassen. Aber die Bücher hatte er alle schon mehrere Male gelesen. Wenigstens die mit den spannenden Titeln. Und die anderen reizten ihn nicht. Gedankenverloren schob er die unregelmäßig stehenden Buchrücken wieder in einer geraden Linie ins Regal. Als er in der obersten Reihe ankam und er einige herauslugende Bücher mit lang ausgestrecktem Arm wieder in eine Reihe drücken wollte, spürte er einen Widerstand. „Verflucht", zischte er verärgert und drückte nochmals zu. Aber sie bewegten sich nicht.

Than holte einen Hocker aus der Küche und stieg darauf, damit er besser gucken konnte, was ihn in seiner plötzlich aufkeimenden Ordnungsliebe blockierte. Staub kitzelte in seiner Nase, und er musste mehrmals ein Niesen unterdrücken. Er versuchte, die hartnäckig hervorstehenden Bücher nach innen zu schieben. Aber nichts bewegte sich. Neugierig geworden, zog er eines der Bücher hervor und stellte sich auf die Zehenspitzen, um besser sehen zu können.

Hinter den Büchern war im Regal noch etwas Platz zur Wand. Und da lag etwas. Ein kleines, viereckiges Buch. Er zog vorsichtig seine verstaubte Entdeckung heraus. Mit einem Arm wischte er über den Buchrücken. Dieses Buch war so anders als alle anderen. Er hatte es noch nie zuvor gesehen. Nach der Staubschicht zu urteilen, musste es bereits Jahre unentdeckt dort hinten gelegen haben. Es hatte keinen Titel. Der Deckel war mit bunten Motiven bemalt. Er nahm es mit vor das Feuer und blätterte die erste Seite auf. Dort las er die handschriftliche Eintragung:

*Die erste Nacht in unserem neuen Zuhause*

*Heute war unsere erste Nacht in unserem neuen Heim. Ich fühle mich wohl hier. Sicherer. Ich glaube, es war richtig, die Dorfgemeinschaft zu verlassen. Nach der versuchten Entführung durch die Odonen bin ich nicht mehr richtig zur Ruhe gekommen. Mich plagten Ängste und Albträume, und ich fühlte mich im Dorf nicht mehr sicher. Denn keiner weiß, warum sie es scheinbar wahllos auf einige aus unserer Gemeinschaft abgesehen haben. Und keiner weiß, wann sie wiederkommen. Nur dass sie wiederkommen, das ist jedem klar.*

*Ob sie es nur auf uns Frauen abgesehen haben? Auf uns junge? Vielleicht brauchen sie mit ihren verkorksten Körpern und Fratzen der Inzucht frisches Blut in ihrem kranken und wahnsinnigen Volk? Das meint Krol wenigstens.*

*Er hatte auch recht, es war gut, den Winter noch im Dorf zu bleiben und das Haus in Ruhe instand zu setzen. Trotz der Ängste. Denn das Leben hier etwas oberhalb der Gemeinschaft ist deutlich entbehrungsreicher, und auch dem Wetter sind wir hier stärker ausgesetzt. Aber jetzt, wo die Hänge von Frost befreit sind und das erste Grün durchkommt, ist es richtig schön in unserem neuen Zuhause. Gut, dass wir diesen Flecken gefunden haben mit der Quelle weit oben und dem versteckten Unterschlupf. Wenn wirklich ein Angriff kommt, dann sind wir auf dem Berg in Sicherheit.*

*Es wäre schön, bald zur Ruhe zu kommen und den Schrecken zu vergessen.*

Neugierig geworden, blätterte Than ein paar Seiten weiter. Es schien ein Tagebuch zu sein, denn die weißen Seiten waren alle in einer schwungvollen jugendlichen Schrift beschrieben. Der folgende Eintrag musste verfasst worden sein, als die Schreiberin schon länger hier wohnte:

*Es gehen Gerüchte um im Dorf. Es gibt Zeichen, dass die Odonen einen nächsten Angriff planen könnten, sagen die einen. Die anderen glauben, die Gefahr hat sich für immer erledigt, da so lange kein großer Angriff geschah, und vermuten, sie würden jetzt die Völker auf der anderen Seite ihres Gebirges drangsalieren.*

*Ich bin froh, dass wir außerhalb sind. Hier sind wir geschützt und würden einem Überfall wohl entgehen. Aber trotzdem sorgen wir vor. Hinter dem steilen Felsen haben Krol und ich einen kleinen Trampelpfad in die Büsche geschlagen und die höchste Stelle unseres Landes ausgekundschaftet. Im Schatten des Gipfels hat Krol unter enormen Anstrengungen Teile aus der Seite des Gipfels gebrochen. Hier, im Schutz der Steine, haben wir einen kleinen Platz geschaffen, auf dem wir unter allen Umständen vor den Blicken der Feinde gut geschützt sind.*

*Krol möchte den porösen Stein so bearbeiten, dass er einige unterirdische Vorratsräume für uns schaffen kann.*

Than überflog die weiteren Einträge. Sie schienen sich für ihn zu wiederholen. Er wollte das Buch gerade enttäuscht zur Seite legen, da blieben seine Augen an einer Eintragung hängen:

*Heute ist etwas Seltsames passiert. Wir waren gemeinsam oben auf unserer Lichtung und wollten die Vorräte in den Schächten auffüllen. Krol hatte extra seine*

*Hacke mitgebracht, um die Gruben etwas zu vergrößern. Er stand in der einen Grube und trieb sie weiter in den Berg hinein, während ich mich auf einer unserer Steineinfassungen ausgestreckt hatte und in der Sonne las.*

*Plötzlich hörte ich ein dumpfes Fluchen aus Richtung der Vorratsgrube, und als ich nachschauen ging, sah ich, dass Krol durch den Boden gesackt war und mir ungefähr zwei Meter weiter unten als vermutet seine Hand entgegenstreckte. Mit vereinten Kräften schaffte er es wieder heraus, und wir machten uns daran, unsere Vorräte so gut es ging in der anderen Grube zu verstauen. Da es in den vergangenen Tagen stark geregnet hatte, muss wohl das poröse Gestein den Berges nachgegeben haben und unsere Grube wurde unterspült. Glücklicherweise ist Krol nichts passiert.*

Dann schrieb die Verfasserin über andere Erlebnisse und Eindrücke der kommenden Tage und ihre Besuche im Dorf. Ein paar Seiten weiter entdeckte Than die Fortsetzung der Vorkommnisse um die Grubenabsackung:

*Krol kam heute Abend völlig aufgewühlt nach Hause. Ursprünglich hatte er eine weitere Grube ausheben wollen, da die zweite für die Aufbewahrung der Lebensmittel durch ihren Einsturz untauglich geworden war. Da er aber nicht abschätzen konnte, wie stark das Erdreich unterspült war, stieg er vorsichtig in die eingestürzte Grube, um zu sehen, ob sie noch für uns brauchbar war.*

*Mit Schaufel und Hacke schuftete er den ganzen Tag, um das lockere Erdreich zu entfernen. Als er fertig war, konnte er erkennen, dass es sich zwar um eine Unterspülung handelte, die den Hang langsam auswusch, aber diese weniger verheerend war als vermutet. Sein Sturz in die Tiefe hatte eine gänzlich andere Ursache. Er vermutete, dass er auf einen alten Schacht gestoßen war.*

*Zum Glück wurde es dunkel und er hat die Erkundung nicht fortsetzen können. Morgen gehen wir als Erstes ins Dorf und kaufen dort genügend dicke Seile und Gurte, um gemeinsam die Tunnel zu erkunden. Krol war natürlich Feuer und Flamme, weil er gar nicht wusste, dass auch in dieser Gegend früher Bergbau betrieben wurde. Er dachte natürlich, als alter Schachtexperte würde er bereits alle alten Gänge kennen.*

Than schluckte. Ein Schacht. Ein Tunnel. Auf dem Berg. Das war die Erklärung für die aufdringlichen Krähen. Vermutlich hatten sie noch alte Vorräte entdeckt. Ungeduldig blätterte er zum nächsten Eintrag:

*Es ist aufregend. Nie hätte ich gedacht, dass wir auf unserem Land das finden würden, was wir heute entdeckt haben. Und es entbehrt auf den ersten Blick auch einiger Logik. Oben, kurz vor der höchsten Spitze, gibt es einen Einstieg in ein Tunnelsystem, das von Menschenhand geschaffen wurde. Es geht nach einem kleinen waagerechten Stück, auf dem Krol bei seinem Einsturz gelandet ist, weiter in die Tiefe. Unsere Seile und Winden reichten kaum, um die ersten Meter zu erkunden.*

*Da es ohne Sicherung zu gefährlich schien, brachen wir unsere Mission vorerst ab, um noch längere Taue zu organisieren.*

Erst im Winter folgte der nächste Eintrag. Höchstwahrscheinlich, so vermutete Than, hatte ein Kälteeinbruch das Paar zum Rückzug in ihr Heim verbannt, und die Schreiberin hatte wieder Zeit für ihre Eintragungen.

*Die Steine machen es uns um so viel einfacher. Krol sagt, meine Angst wäre der Auslöser für unser großes Glück gewesen. Denn ohne sie wären wir nie in die Abgeschiedenheit gezogen und hätten uns einen sicheren Rückzugsort gesucht. Was wir nur mit ein paar mehr Metern Tau für Reichtümer in den Stollen fanden, macht uns für Lebzeiten unabhängig von den Erlösen unserer kleinen Landwirtschaft. Der Handel läuft gut. Jeder Händler, der in unser Tal kommt, nimmt uns welche ab. Zu einem guten Preis. Wir wollen unser kleines Geheimnis für uns behalten und davon leben.*

Than blätterte weiter und weiter, aber die Einträge machten die Stollen lange nicht mehr zum Thema und auch die Häufigkeit der Notizen nahm ab. Er vermutete, dass es sich bei der Schreiberin um die vorherige Eigentümerin des Hauses und ihren Mann handelte. Er war sich sicher, dass seine Eltern nichts von diesen

Schätzen wussten. Wieso hatten diese Leute das kostbare Land seinen Eltern überlassen?

Kurz vor Ende des Buches fand er eine Erklärung. Die Schrift war schon etwas unsicherer und längst nicht mehr so schwungvoll wie noch Jahrzehnte zuvor bei den ersten Einträgen.

*Nachdem die Erde wochenlang immer wieder leicht bebte und rumorte, als ob ein Drache in ihr hausen würde, war Krol heute alleine auf unserem Berg. Vorräte lagern wir dort schon lange nicht mehr. Ich bin längst raus aus dem Alter, in dem man versuchen könnte, mich zu entführen, und wir uns verstecken müssten. Er wollte prüfen, ob die hölzerne Abdeckung des Hauptschachtes den Bewegungen standgehalten hatte und unsere Konstruktion zum Abstieg in die Tiefe noch hielt. Aber die Beben hatten einen gewaltigen Erdrutsch ausgelöst, und unsere gesamte Konstruktion war von den Gesteinsmassen mitgerissen worden. Der Einstieg und alle Schächte sind verschüttet.*

Dann kam er zum Ende des Buches. Die letzten Seiten berührten ihn sehr:

*Ich habe unser Haus heute verkauft. Ich bin traurig, aber es ist das Beste, wieder in unser Dorf zu ziehen. Seit Krol weg ist, merke ich, wie alt ich geworden bin. Die langen Wege hinab werden zu beschwerlich, besonders im Winter.*

*Die Käufer sind ein junges Paar aus dem Dorf. Sie haben*

*einen kleinen Jungen. Sie sind so lebensfroh und lustig, und ich wünsche mir, dass sie das Haus mit Kinderlachen füllen. Ich kann mir denken, was sie hier auf den Hügel zieht. Man fühlt sich einfach sicher. Und als ich in die Augen der jungen Frau gesehen habe, konnte ich die gleiche unbewusste Angst vor den Odonen erkennen, die einmal in meinen Augen zu sehen war.*

## 5 Der Tunnel

Als Than das Buch schloss, kamen bereits die ersten Strahlen der Sonne durch die Küchenfenster. Er hatte die ganze Nacht gelesen, ohne zu merken, wie die Zeit verging. Jetzt spürte er die verspannten Muskeln und räkelte sich ausgiebig. Aus dem Schlafzimmer seiner Eltern oben drang noch kein Geräusch. Das traf sich gut. Than war hellwach. So schnell wie möglich wollte er auf den Berg, den verschütteten Tunnel suchen.

Er schürte das Feuer im Herd, um sich ein warmes Frühstück zu machen, und suchte sich Proviant für den Tag zusammen. Dabei arbeitete sein Gehirn auf Hochtouren, um das Gelesene zu verarbeiten. Daher die Seile im Schuppen, von denen sein Vater gesprochen hatte und deren Herkunft und Zweck auf dem Hof sich keiner erklären konnte. Er schrieb seinen Eltern einen Zettel und erklärte, dass er bei den Tieren auf der Weide wäre. Schwer bepackt, verließ er kurze Zeit später das noch ruhige Haus. Trotz seiner unbändigen Neugier hatte er es geschafft, an alles zu denken, was er für den Tag brauchte.

Nachdem er hastig die Tränken der Tiere geprüft hatte, wanderte er hügelaufwärts, um den Einstieg in den versteckten Pfad hinter dem massiven Stein zu finden.

Jetzt, nachdem er den Weg einmal von der anderen Seite gegangen war, konnte er problemlos die Stelle finden und war in wenigen Augenblicken auf dem kleinen Plateau.

Der Wind hatte über Nacht leicht gedreht, so dass die Rabenvögel vom Vortag nicht mehr angelockt wurden. Ihm war das nur recht so. Denn er wollte nicht, dass die Krähen seine Eltern oder sonst irgendjemanden auf die ungewöhnliche Fundstelle aufmerksam machten.

Er breitete den Inhalt seiner Tasche auf einem kleinen Stein der Umrandung aus und suchte nach der Stelle, um die am Vortag die Vögel ein solches Geschrei gemacht hatten. Zwischen zwei Dornensträuchern fand er schließlich eine kleine Lücke. Die bot ihm einen guten Ansatzpunkt, von dem aus er die Sträucher mit einem großen Messer etwas lichten konnte.

Bei der Arbeit trug er Handschuhe. Dabei wurden seine Hände heiß und schwitzten. Doch nachdem er kurz die Handschuhe ausgezogen hatte, um ohne sie weiterzuarbeiten, merkte er schnell, dass er keine andere Wahl hatte, und zog sie wieder an. Die Dornen waren so stark und unnachgiebig und standen in geringen Abständen wie spitze Nadeln von den Ästen ab, dass seine ungeschützten Hände von ihnen sofort blutig gekratzt wurden.

Nach und nach entstand ein immer größerer Durchlass zwischen den Sträuchern, und Than arbeitete systematisch von der Lücke her zum Stamm des Gestrüpps. Überrascht stellte er fest, dass hinter der vorderen Reihe des Gebüschs der Bewuchs weniger wurde. Nur die vorderste Reihe bildete eine undurchdringliche Front des stacheligen Gestrüpps.

Schnell hatte er einen Durchgang geschaffen, durch den er bequem schlüpfen konnte. Dahinter war ein kleiner Platz, auf dem er bequem stehen konnte. Sobald er sich jedoch etwas reckte, stieß er mit dem Kopf gegen das Dornendach der umliegenden Sträucher und seine Haare verfingen sich schmerzhaft in den mit dichten Dornen übersäten Zweigen.

Than konnte genau sehen, wo die beiden vergessenen ehemaligen Vorratskammern lagen. Sie waren rechteckig. Auf ihrem Rand wuchs nur spärlich Moos und Gras. Der rechte Schacht war etwas eingebrochen, und als Than sich herüberbeugte, nahm er einen leicht moderigen, fauligen Geruch wahr. Er ging am Rand des eingesackten Schachtes auf die Knie und beugte sich vorsichtig darüber, während seine Hände sich auf der Umrandung abstützten. Der Geruch, der ihm entgegenströmte, war unerträglich. Obwohl die Einsturzstelle kleiner als vermutet war, konnte Than den Verursacher des Gestanks sofort erkennen. Ein toter Schneehase. Der Kadaver leuchtete fast, trotz der fortgeschrittenen Verwesung, durch die Sonne, die auf die Reste des strahlend weißen Fells fielen.

Er registrierte mit einem gewissen Ekel, dass es in und

um den Kadaver nur so von kleinem Getier wimmelte. Speckkäfer und Maden zogen langsam über den Körper, und unzählige Fliegen surrten in dem Schacht und lieferten eine monotone Melodie zu dem unschönen Anblick. Mit einem beherzten Griff bekam er die Vorderläufe zu fassen und zog das Tier mit einem kräftigen Ruck aus der Kuhle heraus. Dabei musste er Kopf und Oberkörper wegdrehen, um dem Gestank auszuweichen, der sich jetzt unbeschränkt um das Tier ausbreiten konnte. Der Kadaver war so weit zersetzt, dass er nur mit Glück das Tier als Ganzes aus dem Loch ziehen konnte. Er warf es mit Schwung hinter sich.

Dann ging er durch den Durchgang zurück zu seiner Tasche und dem Werkzeug und suchte eine kleine handliche Schaufel heraus. Dabei fielen ihm zwei Stücke Käse entgegen – sein Proviant, den er sofort wieder tief in die Tasche stopfte. Der Hunger war ihm vorerst gründlich abhandengekommen. Das Tier begrub er in einer hastig ausgehobenen Kuhle.

Nun begann die richtige Arbeit. Er entfernte die morschen Bretter, die wohl mal die Abdeckung des Schachtes gebildet hatten, und nach und nach auch die Erde aus dem eingestürzten Schacht. Darüber vergaß er völlig die Zeit, und erst als die Sonne langsam tiefer sank und weniger Kraft hatte, hielt er inne. Er hatte kaum etwas geschafft, obwohl er den ganzen Tag über geschuftet hatte. Nicht einmal eine Pause zum Essen hatte er sich gegönnt. Er packte seine Sachen zusammen und stellte die abgetrennten Äste des Dornenstrauchs provisorisch wieder auf seinen alten Platz. Bis das Grün verwelkt war, bot dies eine gute Tarnung und auch einen Schutz vor neugierigem Getier.

An diesem Abend fiel er todmüde ins Bett. Seine Träume waren unruhig, und der verweste Schneehase tauchte immer wieder in ihnen auf. Furchteinflößende Follots kreisten über ihnen und warfen lange, dunkle Schatten auf das Land. Er wachte grübelnd auf, und noch im Halbschlaf wurde ihm klar, dass da, wo einer war, auch andere sein mussten. Von den Hasen hatten seine Eltern noch nicht gesprochen. Than vermutete, dass sie nur ganz oben auf dem kleinen Gipfel ihrer Insel zu Hause waren.

An diesem Morgen schnitt er zuerst auf dem Weg zur Höhle einige Äste von den Bäumen und bastelte daraus einen Korb, mit dem er die Tiere fangen wollte. Dazu pflückte er mehrere Handvoll junger Grasbüschel. Geschickt verband er die Zweige zu einer Falle, in die er das frische, saftige Gras als Köder legte, und stellte sie auf dem kleinen Plateau ab.

In den kommenden Tagen arbeitete Than wie besessen an der Grube. Aber die Falle blieb zunächst leer. Er verschwand morgens schon früh aus dem Haus und verabschiedete sich mit dem Drang nach frischer Luft.

Seine Eltern waren verblüfft, als er an einem der Abende mit seinem ersten Schneehasen in den Händen heimkehrte. Von diesen Bewohnern hatten sie in all den

Jahren noch keinen auf der Insel gesehen. Was hieß, dass es nicht viele von ihnen geben konnte.

Jitha und Vohn waren beide erleichtert, dass damit das Schlachten ihrer eigenen Tiere etwas aufgeschoben wurde. Für Than war es kein großer Trost, jetzt ab und zu einen Hasen statt der Fische zu haben. Er wusste, dass die Anzahl der neuentdeckten Tiere nie ausreichen würde, um sie zu ernähren. Auch all das Gemüse, Obst und Getreide reichte nicht einmal, um einen von ihnen durch den Winter zu bringen. Deswegen arbeitete er verbissen an der Grube. Wer wusste, wohin der Schacht führte?

Es dauerte Wochen, bis er den alten Tunnel so weit freigelegt hatte, dass er mehrere Meter hinabsteigen konnte. Jemand hatte in die steilen Wände Balken eingelassen, die wie eine provisorische Leiter etwas Halt boten. Aber die Seiten waren rutschig, und der Auf- und Abstieg kostete Kraft. Besonders, weil er in der Tiefe nicht mehr die ausgehobene Erde einfach über den Grubenrand werfen konnte, sondern alles in zwei stabile Weidekörbe laden musste, die er regelmäßig nach oben bringen und an der Oberfläche ausleeren musste. Obwohl es in der Grube kühl war, arbeitete er nur in einer alten kurzen Hose mit freiem Oberkörper. So konnte er sich vor dem Rückweg an der Tränke der Tiere waschen und machte seine Kleidung nicht übermäßig dreckig.

Eines Morgens war er aufgrund der frühen Wärme in

seinem Zimmer besonders zeitig wach und brach gleich auf. Er stieg zu seinem geheimen Plateau auf und zog den noch immer grünen Dornenbusch von seinem abgesägten Stamm. Den Einstieg in die Grube hatte er provisorisch mit Ästen und Zweigen abgedeckt, die er jetzt nach und nach wieder daneben ins Gras stapelte. Seinen Pullover, seine Schuhe und Strümpfe legte er sorgsam neben der Grube ab, bevor er sich wieder barfuß mit den Körben hinabließ.

Than kam mit dem linken Fuß zuerst unten auf und zuckte zurück. Seine empfindliche Fußsohle traf schmerzhaft auf etwas Hartes, das sich spitz in seine Haut bohrte. Überrascht beugte er sich herunter und versuchte zu ertasten, auf was er getreten war. Er fing an zu buddeln und legte nach und nach einen großen Klumpen frei. Der Stein hatte ein beachtliches Gewicht und lag schwer in der Hand. Um seinen Fund besser betrachten zu können, stieg er aus der Grube nach oben und hielt ihn ins Sonnenlicht.

Der Brocken hatte die Größe von einer Faust und passte genau in seine Hand. Er sah zwar massiv aus, bestand aber aus vielen kleinen Steinen, die teilweise ungewöhnliche, geometrisch scharf umrissene Formen hatten. „Wie ein Edelstein siehst du aber nicht aus ...", murmelte er leise vor sich hin. „Aber, wer weiß?"

Er nahm den Klumpen und legte ihn gleich neben seine Tasche. War das einer von den Steinen, von denen die Tagebuchbesitzerin schrieb? Er stieg wieder hinab und grub mit der Schaufel schnell weiter an der Fundstelle. Vielleicht gab es ja eine lockere Stelle in dem Schacht, hinter dem ein Stollen lag? Aber für diesen Tag sollte es der einzige Fund bleiben. Am späten Nachmittag stieg Than für diesen Tag endgültig aus dem Schacht und legte Werkzeug und Körbe zum Säubern neben seine Tasche.

Sein Fund glänzte im Licht der Sonne und zeigte noch mehr von seiner merkwürdigen Beschaffenheit. Denn als er mit der Schaufel dicht an dem Stein vorbeiging, wurde diese auf unerklärliche Weise von ihm angezogen. Erst glaubte er an einen Zufall. Doch ein zweiter Versuch verlief genauso. Noch nie hatte er zuvor so etwas gesehen und war völlig fasziniert von der unerklärlichen Anziehungskraft des Steines. Nach und nach holte er weitere Gegenstände hervor und hielt sie neben den Stein. Doch die Schaufel blieb das Einzige, was auf den metallischen Brocken reagierte. Fasziniert drehte und wendete er seinen Fund und verstaute ihn dann schließlich für den Abstieg.

Eigentlich wollte er seinen Eltern nichts von diesem Fund sagen. Aber beim Abendessen platzte es aus ihm heraus: „Ich habe diesen Stein gefunden." Schnell zog er den Brocken aus seiner Tasche, die über seine Stuhllehne gelegt war. „Und guckt mal." Mit einem Griff umfasste er sein gesamtes Besteck und hielt es an den Stein. Wie von Zauberhand wurden Löffel, Gabel und Messer angezogen und blieben in merkwürdiger Form an dem Stein haften. Er sah in die erstaunten Gesichter seiner Eltern.

Sein Vater fand als Erster die Worte wieder. „Eisen?" Er räusperte sich laut, bevor er weitersprach. „Du hast Eisen gefunden? Auf unserer Insel?" Vohn nahm den schweren Brocken in seine Hände und betrachtete ihn genauer. „Wo?" Nur ein Wort, bei dem er Than in die Augen sah.

Than konnte dem Blick nicht standhalten, denn er wusste, seine Augen würden die Wahrheit verraten. Seine Aufregung, seine Entdeckung und alles, was er seinen Eltern eigentlich verschweigen wollte. Schon vorher hatte er sich eine etwas dünne Geschichte überlegt. Der Stein, so erzählte er jetzt, musste wahrscheinlich bei einem der letzten Beben oder Erdrutsche an die Oberfläche gekommen sein. Er wäre fast darüber gestolpert, als er oberhalb der Weiden saß.

Fasziniert von diesem Fund hörten seine Eltern zu. Sie waren aber zu abgelenkt von dem Anblick des Eisens. So entging ihnen Thans abgewandter Blick, der vor schlechtem Gewissen nur so strotzte. Obwohl er schon geahnt hatte, dass sie sich über seinen Fund freuen würden, war er doch überrascht von der Begeisterung, mit der sie sich den Stein immer wieder gegenseitig reichten, über ihn streichelten und ihn näher betrachteten.

„Es ist wirklich Eisen", bestätigte sein Vater noch einmal ungläubig. „Wisst ihr, was das heißt?" Als keine Antwort kam, sprach er weiter: „Wenn wir noch mehr davon finden, dann können wir es schmelzen und neue Gegenstände gießen. Wir könnten Werkzeug gießen oder

Waffen schmieden. Wir könnten uns verteidigen, falls uns jemand angreift. Than", sprach ihn sein Vater direkt an, „zeig uns die Stelle, und wir können schauen, wo es noch mehr gibt."

Normalerweise wäre Than dieser Aufforderung nachgekommen, hätte sich sogar über das Interesse seines Vaters gefreut. Aber die letzten Wochen allein mit seiner Arbeit und seinem geheimnisvollen Schacht hatten ihm viel Zeit zum Nachdenken gegeben. Und er wusste, er wollte nicht zu viel verraten. Er wollte seine Eltern nicht ängstigen und ihnen keine unberechtigte Hoffnung machen. Zu unsicher war er noch, was er aus dem Schacht bergen würde können und ob der Tunnel durch die im Tagebuch beschriebenen Erdrutsche nicht unwiderruflich für immer verschüttet worden war. Das Schlimmste, was er sich vorstellen konnte, war, dass sie auf eine andere Zukunft hofften, um dann bitter enttäuscht zu werden.

Than tat seinen Fund ab. „Ich glaube nicht, dass es noch so viel mehr gibt. Ich bin einfach darüber gestolpert. Vielleicht hat sich vom kleinen Gipfel ein Stück gelöst." Er traute sich wieder, Blickkontakt aufzunehmen und bat seinen Vater mit einem direkten Blick in seine Augen: „Lass mich doch suchen. Warum sollten wir gemeinsam unsere Zeit verschwenden? Ich kann mir die Gegend genauer anschauen."

Seine Eltern schauten sich an, und seine Mutter zuckte zuerst mit den Schultern und nickte dann leicht. Auch ohne Worte hatten sie sich verständigt, und sie hatte ihre Meinung seinem Vater gegenüber kundgetan.

„Gut", stimmte dieser schließlich zu. „Du hast recht. Hier gibt es genug zu tun für uns, und wir müssen das gute Wetter nutzen."

Than hatte vor Anspannung die Luft angehalten, ohne es zu merken. Jetzt ließ er die Schultern fallen und atmete mit einem Stoß erleichtert aus. Der Rest des Essens verlief ruhig, so wie sie es gewohnt waren, und keiner sprach, außer den üblichen Bemerkungen wie „Reich mir bitte mal …", „Ist noch Brot da?" und anderen Fragen und Bitten, die sich direkt um die Mahlzeit drehten.

Zwar freute sich Than, dass er die erste Klippe umschifft hatte, aber ein kleines mulmiges Gefühl blieb und nagte an ihm. Auch nach dem Essen, als sie friedlich am Tisch zusammensaßen. Hatte er sich noch die vergangenen Wochen und auch bis vor einer Stunde darüber gefreut, dass er nicht mehr alles, was er tat, mit seinen Eltern teilte, merkte er nun langsam, dass es nicht nur schön war, sich abzugrenzen. Alles, was er normalerweise spontan zu dem Gespräch beigetragen hatte, wälzte er jetzt erst einmal in Gedanken hin und her und überlegte, ob er dadurch auch ja nichts von dem Schacht und dem Fundort seines Steines preisgab. Es kostete ihn Kraft, bei jedem Satz vorher darüber nachzudenken, ob er damit zu viel über seine wahren Pläne für den Sommer verriet, und das ermüdete ihn schnell. Nicht ohne Grund hatte er, seitdem er das Tagebuch gelesen hatte, diese gemeinsamen Abende gemieden. Jetzt merkte er jedoch, wie ihm die Nähe fehlte, die sonst zwischen ihnen entstand, und verabschiedete sich früh ins Bett.

Die weiteren Wochen verliefen unauffällig, und außer ein paar deutlich kleineren Brocken gab es keine ungewöhnlichen Funde. Er kam noch immer nur mühsam voran, da der Weg immer länger wurde, den er die gelockerte Erde aus dem Schacht heraus transportieren musste. Nebenbei musste er aufpassen, dass er kleinere Arbeiten seiner Eltern übernahm, damit sie nicht doch Verdacht schöpften.

Dann, eines Morgens, merkte er schon, als er die Grube betrat, dass der Boden, auf dem er stand, etwas lockerer wurde und scheinbar in irgendeine Richtung wegrieseln konnte. Er grub mit voller Energie und erkannte bald, dass die seitlichen Wände des Schachtes aus behauenem Stein waren und eigentlich einen großen Durchlass bildeten, der noch verschüttet war. Schneller als gedacht stand er nach ein paar weiteren abtransportierten Körben Erde plötzlich nur noch auf einem kleinen Erdhügel, der ein waagerechtes Tunnelsystem verschüttet hatte.

Der unterirdische Gang war dunkel und moderig feucht. Kaum Tageslicht drang durch das Dornendach bis nach hier unten. Er tastete sich langsam mit den Händen an dem Durchlass und den Kanten des Tunnels entlang. Das restliche Tageslicht wurde hier unten schon nach weniger als einem Meter komplett geschluckt. Than hatte kein

Licht dabei und überlegte, ob er es noch schaffen würde, zum Haus hinabzusteigen und welches zu holen. Aber als er aus dem Schacht wieder nach oben stieg und auf dem kleinen Plateau seine Glieder streckte, wurde ihm mit Blick auf den Stand der Sonne klar, dass er an diesem Tag dafür zu spät dran war. Etwas enttäuscht, dass sein Abenteuer für heute beendet war, packte er seine Sachen und machte sich auf nach Hause.

Als er bei ihrer Hütte ankam, konnte er es kaum erwarten, schnell im Stall nach Lampen und kleinen Feuersteinen für den nächsten Tag zu suchen. Er fand sofort eine größere Leuchte, in die eine große Talgkerze passte, die von einem großen runden Glas großzügig umschlossen wurde. „Genau die Richtige", flüsterte er leise. Beim Durchbruch in den Tunnel hatte er bereits festgestellt, dass trotz der Wärme ein eisiger Windzug von unten aufstieg. Deswegen wollte er ein besonders gut geschütztes Licht mitnehmen.

Das Werkzeug hatte er vor Ungeduld oben an der Quelle nur grob gereinigt und unbedacht gegen die Außenwand des Stalles gelehnt. Die Schaufel war noch von lehmiger Erde dünn überzogen, und ein paar kleinere Brocken klebten an ihr.

„Na, was treibst du denn hier?" Die Stimme seines Vaters im Rücken ließ ihn aufschrecken wie einen Dieb, der auf frischer Tat überrascht wurde. Fast hätte er die Lampe, die er gerade in der Hand hielt, fallen lassen und damit den Bruch des Glases riskiert.

Er schluckte seinen plötzlichen Kloß im Hals herunter und drehte sich unsicher um. „Vater!" Er fühlte sich ertappt. Besonders als er sah, dass sein Vater auf die dreckige Schippe gestützt zu ihm rüber lächelte. Jetzt fiel Than auch auf, dass er in seiner Begeisterung über die Freilegung des Tunnels voller Ungeduld zurückgeeilt war und sich nicht richtig um die Säuberung des Werkzeuges gekümmert hatte. Sein Blick blieb an der dreckigen Schaufel hängen. Im Gesicht seines Vaters konnte er allerdings nur wohlwollende Freundlichkeit entdecken. Er sah keinen Hinweis darauf, dass er irgendwelche Schlüsse aus dem Zustand der Schippe gezogen hatte. Keine hochgezogenen Augenbrauen. Kein fragender Blick. Kein schräg geneigter Kopf.

Innerlich gab sich Than Entwarnung und wollte gerade zu einer Erklärung ansetzen, als er vom Haus her seine Mutter nach seinem Vater rufen hörte. Sie benötigte Unterstützung und rettete ihn so für den Augenblick aus dieser Situation. Sein Vater richtete sich auf, noch immer auf den Griff der Schaufel gestützt, und drehte sich um.

Than griff sich das Werkzeug. „Komm, ich stell die Sachen weg."

Erleichtert sah er, wie sein Vater ihm nur noch einen kurzen entschuldigenden Blick zuwarf und verschwand, ohne an das Werkzeug auch nur einen Blick zu verschwenden.

„Ich Idiot", schimpfte Than sich, als er verschwunden

war, und begann sofort, die Schaufel und die anderen Geräte, die noch draußen an der Wand lehnten, gründlich zu säubern. Fast hätte ihn sein Eifer in Erklärungsnöte gebracht. Als er später ins Haus kam, stellte er fest, dass sein Vater inzwischen ihre kurze Begegnung vergessen hatte.

Obwohl er sich körperlich müde von den Anstrengungen der letzten Wochen fühlte, konnte er in dieser Nacht nicht schlafen. Zu sehr beschäftigten ihn seine Entdeckung und die Neugierde darauf, was am kommenden Tag auf ihn warten würde.

Als er hörte, dass alles im Haus ruhig war, schlich er sich im Dunkeln zu den Büchern und suchte nach dem alten Tagebuch, das er wieder sicher in der zweiten Reihe zwischen anderen verstaubten Büchern versteckt hatte. Vielleicht konnte er noch etwas aus dem Buch erfahren, das ihm bei seinen Grabungen helfen könnte. Nochmals überflog er die Seiten, jetzt gezielt auf der Suche nach Hinweisen, was es mit dem Tunnel auf sich hatte und wohin er führen könnte. Er blätterte und blätterte. Irgendwann fand er eine Stelle, die ein wenig die Tunnel beschrieb, und er beugte sich im letzten Schein der Glut dicht vor die Feuerstelle, um die Buchstaben besser entziffern zu können.

*Die Steine befinden sich nur in dem Schacht, wie wir herausgefunden haben. Deswegen haben wir ihn so gut es ging immer weiter ausgehöhlt, ohne die Einstiegsluke zu vergrößern. Darunter verläuft ein kurzer Tunnel parallel zum Boden, der auf beiden Seiten am Ende plötzlich steil nach unten abfällt. Beide Abstiege haben wir versucht, mit unserer Ausrüstung zu erkunden, aber unsere Seile reichten nicht aus.*

Ein paar Seiten weiter stand:

*Gestern sind wir gemeinsam abgestiegen, soweit es ging. Es war aufregend, in der Dunkelheit zusammen den Tunnel zu erkunden. Der eine Schacht scheint geschlossen zu sein. Denn obwohl ich mich weit hinein abseilte, kam mir kein kalter Windhauch entgegen. Wir haben auch ein paar Steine nach unten geworfen und aus der Tiefe einen dumpfen Aufprall gehört.*

*Der zweite Schacht scheint mit irgendetwas verbunden zu sein. Es muss dort unten noch weitere Gänge und Verzweigungen geben, denn unser Echo hörte sich anders an, als ich im Schacht saß. Außerdem spürt man hier einen starken Luftzug.*

*Die Wände der Schächte sind beide aus grob behauenem Stein. Hier haben wir keine weiteren Schätze gefunden, obwohl wir, soweit wir konnten, alles gründlich mit unseren Laternen abgeleuchtet haben.*

*Krol kann noch immer nicht glauben, dass wir auf unserem Land, auf unserem Hügel nicht nur Edelsteine, sondern auch scheinbar einen eigenen Grubeneinstieg haben. Er will sich im Dorf erkundigen, ob einer seiner Bergbaukollegen etwas davon gehört hat. Aber wir wollen vorsichtig sein. Schließlich könnte es auch ein perfektes Versteck sein, von dem so wenig Menschen wie möglich wissen sollen. Denn immer mehr zweifeln wir daran, wem von unseren Leuten wir wirklich trauen können.*

*Krol sagt, die Bergleute halten zusammen. Sie sind selber betroffen von dem unerklärlichen Verschwinden einiger Kumpel. Trotzdem möchte ich nicht, dass jemand etwas von unserem Versteck für die Not weiß. Ich habe Angst davor, dass nicht nur die Edelsteine zu Missgunst und Zwietracht führen, sondern auch, dass die Falschen von unserer unterirdischen Zuflucht erfahren.*

Than fielen wieder die Worte seines Vaters ein, dass die Odonen vermutlich Helfer oder Spitzel aus der Gemeinschaft der Ihmada hatten.

Weiter fand er nichts über die Tunnel. Er konnte sich kaum vorstellen, dass die alte gebrechliche Frau, als die seine Eltern ihm die Vorbesitzerin beschrieben hatten, den Mut zu solchen Abenteuern gefunden hatte. In seiner Phantasie war sie bisher eine schon immer greise Frau, die ihr Leben lang nur auf einer Bank vor dem Haus gesessen hatte und strickte.

Morgen in der Früh würde er im Stall noch weiter nach Seilen suchen müssen, damit er die beschriebenen Schächte erkunden konnte. Mit offenen Augen wartete er auf die ersten Sonnenstrahlen. An Schlaf war in dieser Nacht für ihn nicht mehr zu denken.

Bei Betreten des Schachtes am nächsten Morgen sah er

erst einmal nur schwarz. Durch das strahlende Licht draußen war er die ersten Minuten wie geblendet, bis sich seine Augen an das Halbdunkel gewöhnt hatten und er nach und nach wieder alle Umrisse und Konturen wahrnehmen konnte. Er nahm die große Leuchte und suchte zwei der kleinen Feuersteine und die getrockneten Grasbüschel, um den Docht zu entzünden. Jetzt zahlte sich aus, dass er nicht eine der kleineren Laternen mitgenommen hatte, sondern eine der schweren Stallleuchten, die im Winter in der Nähe der Tierverschläge hingen und ein helles Licht spendete. Sofort war es hell im Tunnel. Zwar nur wenige Meter, soweit der Schein der Leuchte reichte, aber das genügte.

Er drehte sich nach links und ging zügig den Gang entlang. Die grob behauenen Steinwände warfen eigentümliche Schatten im zuckenden Licht. Am Ende fand er eine in den Boden eingelassene Holzplatte, die sich ohne Mühe anheben ließ. Darunter tat sich ein weiterer schwarzer Schacht auf. Dies war einer der beschriebenen Tunnelstücke, die so weit in die Tiefe führten, dass sie von den Vorbesitzern ihres Landes scheinbar nicht erkundet werden konnten.

Than kniete sich auf den harten Boden und versuchte mit der Leuchte wenigstens die ersten Meter auszuleuchten. Aber viel mehr als die grobbehauenen Wände, aus denen auch das waagerechte Tunnelstück bestand, konnte er nicht erkennen. Es rührte sich kein Luftzug in dem steilen Schacht, und Than vermutete, dass dieser derjenige von den beiden war, der keinerlei weitere Verbindungen zu einem Tunnelsystem hatte.

Er stand wieder auf und legte die Platte sorgfältig auf den Rand zurück. „Du bist es nicht", murmelte er und ging den Tunnel zurück an seinem Einstieg vorbei zum anderen Ende. Und auch hier fand er, wie vermutet, eine hölzerne Platte, die das zweite Loch im Boden abdeckte. Er stellte die Lampe zur Seite und hob die Abdeckung mit einem kräftigen Ruck an. Sofort spürte er den kalten Zug, der ihm aus der Tiefe entgegenwehte. Und auch sein Licht flackerte unruhig vor sich hin, obwohl die Seiten der Lampe von bauchigem Glas umschlossen waren.

Wieder versuchte er im Knien, die ersten Meter hinabzuleuchten, aber er konnte nichts weiter erkennen als blanken Stein. Er setzte sich auf das Holz und stellte die Lampe zwischen seine Beine. Wie kam er jetzt dort hinunter? Er hatte gehofft, dass die Schachtwände aus Lehm oder wenigstens teilweise fester Erde wären. Dann hätte er mit seinen mitgebrachten Spitzhacken Halt gefunden.

Nochmals nahm er die Lampe und leuchtete in die Tiefe. Der Schacht war schmal und rechteckig. Viel schmaler, als er dachte. Wenn er sich mit den Beinen an der langen Wand abstützte, dann könnte er sich eventuell mit dem Rücken an der gegenüberliegenden Wand abstützen und so Stück für Stück nach unten bewegen. Seine Hände würde er benötigen, deswegen löschte er wieder das Licht und verstaute alles in seiner Umhängetasche.

Thans Herz raste, als er sitzend über den Schacht rutschte und sich für den Einstieg bereit machte. Seine Tasche hatte er sich um den Hals gehängt, so dass sie ihm vor dem Bauch lag. So war auch das Glas der Lampe vor einem ungeschickten Schlag gegen den Stein geschützt.

Die Dunkelheit hielt ihn fest umschlossen. Leise schimpfte er mit sich selbst: „Ist es das wirklich wert?" Er wusste, wenn er hier abstürzte, dann wäre es sein sicherer Tod. „Ich will nicht auf dieser Insel gefangen sein", führte er sein Selbstgespräch fort und gab sich einen Ruck, um den ersten Schritt zu tun.

Meter um Meter arbeitete er sich durch den senkrechten Schacht nach unten. Sein Rücken schmerzte von dem Druck der spitzen Steine. Seine Oberschenkel brannten vor Anstrengung, und auch seine Hände taten auf der groben Oberfläche weh. Er ärgerte sich, dass er seine Handschuhe nicht dabei hatte, denn die hätten ihm jetzt gute Dienste leisten können.

Nach einer halben Ewigkeit spürte Than, dass der Luftzug stärker wurde. Und auch die Geräusche änderten sich. Zuerst hatte er in der Stille nur sein eigenes Atmen und seine Bewegungen gehört. Jetzt nahm er ein stärker werdendes Rauschen und auch einzelne Tropfen war, die auf steinigen Grund fielen. Er wusste, dass er sich dem Boden nähern musste.

Plötzlich trat sein Fuß bei der nächsten Bewegung ins Leere. Er versuchte noch, Halt an der Schachtwand zu finden, aber da war nichts mehr. Sofort verlor er den Halt und stürzte ab. Instinktiv hielt er seine Tasche vor dem Bauch geschützt und krümmte sich darüber so gut es ging zusammen.

Than blieb benommen auf der Erde liegen. Zum Glück war es nur ein kurzer Fall. Langsam erholte er sich von dem Schrecken und schaute sich um. Hier war es mindestens genauso dunkel wie im Schacht. Kein Licht oder wenigstens etwas Halbdunkel war zu sehen.

Die Lampe war durch den Sturz unversehrt und er konnte auch Feuerstein und Grasbüschel schnell in der Tasche greifen. Als das Licht brannte, schwenkte er es im Sitzen einmal herum. Er war auf dem Boden angelangt. Statt an die Wand, war sein Fuß auf einen Durchgang gestoßen. Dieser war mannshoch, und er konnte gerade aufrecht darin stehen. Die Wände waren kalt und feucht, und er hörte über sich ein leichtes Rauschen. Er befand sich direkt unter dem Fluss.

Mutig erkundete er den Gang, und dabei wurden das Rauschen und Rumpeln immer lauter. Der Stollen schien teilweise nur durch eine dünne Steinwand von den Wassermassen getrennt zu sein. Kilometerweit bewegte er sich durch die Gänge und verlor völlig das Gefühl für Zeit und Raum. Than, der bisher nur die kleine oberirdische, überschaubare Welt ihrer Insel kannte, war fasziniert von der Dunkelheit und Kälte, durch die sich scheinbar Menschen vor langer Zeit ein Tunnelsystem geschlagen hatten. Ab und zu traf er auf Abzweigungen, blieb aber auf dem Weg geradeaus, um nicht zu riskieren, sich zu verlaufen. In unregelmäßigen Abständen änderte sich auf seinem Weg die Geräuschkulisse, und das Gurgeln und Dröhnen schwoll mal an und dann wieder ab. Teilweise sah er dünne Wasserrinnsale, die sich an den Tunnelwänden hinabschlängelten und in zwei kleinen Rinnen im Boden verliefen. Dann, als er sich schon fragte, ob er nicht lieber langsam umdrehen sollte, entdeckte er oben in der Decke einen Schacht, der senkrecht nach oben ging. Er beleuchtete die Wände und stellte fest, dass sie so grob behauen waren, dass er mit den Händen dort Halt finden könnte, um sich hochzuziehen.

Than stellte das Licht auf den Boden und legte seine Tasche daneben. „Dies soll die letzte Erkundung für heute sein", sagte er sich, und sprang mit ausgestreckten Armen in die Höhe. Seine Hände fanden sofort Halt, und er zog seinen Körper geschickt in den Schacht. Dieser war zwar etwas anders bemessen, aber er konnte sich trotzdem relativ schnell nach oben fortbewegen. Obwohl das Licht seiner Lampe immer schwächer zu sehen war, nahm er die Wände genau wahr. Ein Blick nach oben bestätigte seine Vermutung. Er sah die Umrisse einer Abdeckung, durch die ein rechteckiger Kreis aus Tageslicht fiel.

„Wow", entfuhr es ihm, und mit frischer Energie überwand er die letzten Meter. Vorsichtig drückte er gegen die Luke. Sie gab sofort nach, und er konnte einen Blick ins Freie wagen.

# 6 Die Insel

Als Erstes sah er Gras. Dann hob er seinen Kopf weiter, guckte direkt auf eine Lichtung, die von der Nachmittagssonne in ein warmes Licht getaucht wurde. Er hatte diesen Flecken Erde noch nie gesehen. Er war auf einer zweiten Insel gelandet.

Von seiner Luke aus konnte Than keine Spuren einer Zivilisation entdecken. Zuerst untersuchte er mit geübtem Blick Himmel und die Baumgruppen, die die Lichtung umgaben. Aber nichts deutete darauf hin, dass ein Follot in der Nähe war. Er schwang sich aus dem Schacht und wollte sich umsehen. Am Stand der Sonne erkannte er allerdings, dass er sich nicht zu viel Zeit zum Erkunden lassen durfte. Es war bereits Nachmittag, und er musste genügend Zeit für den Rückweg einplanen, wenn er nicht wollte, dass seine Eltern Verdacht schöpften.

Im leichten Trab umrundete er die Lichtung und blickte in die Tiefe. Diese Insel war deutlich flacher als ihre. Überall gab es Spuren von Treibgut, die darauf hinwiesen, dass sie bei der ersten Flut komplett überflutet worden war. Than drehte sich so, dass er die Sonne im Rücken hatte, und versuchte, seine Insel im Wasser zu finden. Aber der Dunst der Gischt nahm ihm die Sicht. In Richtung der

Nachmittagssonne sah er nur verschwommene Konturen, vermutlich große unterirdische Felsen, an denen die Gischt besonders hoch nach oben spritzte.

Nach einer ersten Bestandsaufnahme schwang er sich wieder in den Schacht. Seine Lampe brannte noch unermüdlich auf dem Stollenboden und nahm dem Tunnel so ein wenig von seiner unergründlichen Dunkelheit. Auf dem Rückweg achtete er auch stärker auf die Gänge, die teilweise rechts und links abbogen. Sie waren deutlich schmaler als der Hauptgang, durch den er gekommen war. Viele hatten nicht einmal Stehhöhe. Manchmal war auch etwas Erde auf dem Boden des Tunnels und bildete zusammen mit kleinen Wasserlachen matschige Pfützen.

Kurz bevor er am Ende des Ganges angelangte, der ihn wieder nach oben auf seine Insel führen sollte, schwenkte er das Licht eher zufällig in einen etwas breiteren Nebengang und stutzte. War da ein Fußabdruck auf dem matschigen Boden? Dort, an einer matschigen Stelle, war eine längliche Einkerbung, wie von einem menschlichen Fuß. Aber das Wasser hatte den Abdruck verlaufen lassen und umgeformt, so dass es auch einfach eine Laune der Natur sein konnte. Und, wer würde hier unten auf dem grob behauenen Boden mit den teils sehr spitzen Kanten überhaupt barfuß laufen?

Than ging weiter und bereitete sich zügig für den Aufstieg vor, indem er die Lampe wieder löschte und in seiner Tasche verstaute.

Im Laufschritt sauste er den Berg hinab nach Hause. Erst, als ihre Hütte in Sichtweite kam, verlangsamte er seinen Schritt, um keinen Verdacht zu hegen.

An diesem Abend fiel Than früh ins Bett und versank in einen traumlosen Schlaf. Erst das Scheppern in der Küche erweckte ihn am nächsten Morgen. Er fühlte sich wie gerädert. Ihm tat alles weh. Der Rücken und die Hände, mit denen er sich beim Klettern an die grobe Steinwand drücken musste, die Arme und Beine, mit denen er sich beim Auf- und Abstieg abstützte, und sogar der Bauch, weil er beim Klettern auch diese Muskeln benötigte.

Er drehte sich noch einmal um und wollte gerade noch einmal das Kissen über den Kopf ziehen, um seine Augen vor dem Tageslicht zu schützen, da fiel es ihm wieder ein. Der Tunnel. Die zweite Insel. Leise stöhnend streckte er sich und beschloss, doch aufzustehen. Das unterirdische Tunnelsystem hatte ihn in seinen Bann gezogen.

Er vermutete, dass es in den Nebengängen des Tunnels noch weitere Schächte geben könnte. Vielleicht führten sie zu noch höheren Inseln, auf denen sie zunächst sicher waren? Oder zu einer Verbindung zum Festland? Seine größte Hoffnung war allerdings, dass er irgendwo auf Menschen traf, auf Verbündete, mit denen sie gemeinsam einen Plan aus ihrer verzweifelten Lage schmieden konnten.

Seinem Körper musste er heute einen Tag Pause gönnen. Obwohl er jung und kräftig war, hatte ihm die ungewohnte Klettertour einen kräftigen Muskelkater beschert. Außerdem bildeten sich langsam blaue Flecken auf seiner Haut, genau da, wo er sich zu lange gegen hervorstehende Steine in dem Schacht gedrückt hatte.

Er stromerte zunächst ziellos über die oberen Weiden. Dann fiel sein Blick auf den reißenden Strom in der Tiefe. Alles war von Dunst und Nebel verhüllt. Trotzdem versuchte er aus dem Gedächtnis, seinen Weg durch den Tunnel zu rekonstruieren. Es gab nur einen Zugang von der Insel in das Stollensystem. Diesem Weg war er gefolgt. Da er mit dem Rücken Richtung Gebirge in den Schacht abgestiegen war und seine Füße später ins Leere traten, musste der unterirdische Gang von den Odonen weg flussabwärts führen.

Mit der Hand vor den Augen versuchte er, im Dunst vor sich weitere Erhebungen aus dem Wasser zu erkennen. Aber er wurde nicht fündig. Than sah sich prüfend um. Dann rannte er zum Haus zurück und kam mit einigen Zetteln und Stiften wieder. Seinen Muskelkater und die blauen Flecken hatte er schon wieder vergessen. Mit zusammengekniffenen Augen versuchte er, eine Skizze dessen anzufertigen, was er durch den Dunst schemenhaft erkennen konnte. Selbst die kleinsten Unregelmäßigkeiten in der dunstigen Oberfläche wurden von ihm sorgfältig protokolliert.

Jetzt, da er wusste, dass es noch mindestens ein weiteres Stück Land gab, das sich tapfer gegen die Fluten stemmte, betrachtete er seine Umgebung völlig anders als bisher. Schien ihm zuvor der Dunst, in dem der reißende Wasserstrom verschwand wie eine ebene Decke ohne besondere Erhebungen oder Auffälligkeiten, so meinte er jetzt bei genauerem Hinsehen kleine Brüche und Anomalitäten zu entdecken.

Es entstand eine Karte, die zahlreiche Auffälligkeiten aufwies. Da er wusste, wonach er suchen musste, fand sein Auge nach und nach immer mehr Stellen, die auf kleine Erhebungen aus dem Wasser hindeuten könnten. Durch seine Erfolge angespornt, begann er nun, das Tunnelsystem aus der Erinnerung leicht über den vermuteten Inseln aufzuzeichnen. Daraus entstand eine Skizze, die etwas dürftig war und auf Annahmen und Vermutungen beruhte. Aber Than erhoffte sich von seinen nächsten Erkundungsgängen weitere Erkenntnisse zu dem Verlauf der unterirdischen Gänge, die seinen selbstgezeichneten Plan ergänzen würden.

Seine Erkundungen im Tunnelsystem schritten in den kommenden Tagen nur langsam voran. Than nahm morgens aus dem Feuer kalte Reste angebrannten Holzes mit, die er unter Tage als Markierung nutzte. Dabei suchte er sich an den Abzweigungen trockene Stellen, an denen kein dünner Wasserstrom durch das Gestein rann, und markierte diese mit zwei waagerecht gesetzten Punkten und zwei senkrechten, so dass er einen stilisierten Pfeil andeutete, der immer in Richtung Hauptgang zeigte. Dabei wählte er die Punkte immer in seiner Augenhöhe und so klein und unauffällig, dass sie auch bei direkter Beleuchtung nur von ihm zu erkennen waren und leicht für Schatten gehalten werden konnten. Er hätte selber nicht sagen können, warum er dabei so vorsichtig vorging. Aber die unheimliche Atmosphäre des Tunnelsystems mit den lauten Geräuschen des Flusses ließ ihn instinktiv auf der Hut sein.

Der Abstieg war jedes Mal sehr aufwändig und kostete viel Zeit. So viel, dass er es nie schaffte, an einem Tag eine längere Strecke in dem großen Hauptgange zurückzulegen. So besann er sich nach dieser Erkenntnis zunächst auf die Erforschung der kleineren Abzweigungen, die teilweise rechts, aber hauptsächlich links vom Hauptgang abgingen. Diese waren deutlich schwerer zu begehen, da er teilweise nicht einmal in ihnen stehen konnte und sie sich zwischenzeitlich so verengten, dass Than nur mit Mühe und Not hindurchpasste. Einige wurden so schmal, dass er sie nicht weiter erforschen konnte, ohne auf den Knien zu kriechen.

Than spürte, dass das Tunnelsystem noch deutlich mehr Geheimnisse bergen musste als die Verbindung zwischen den Bergen. Er musste mutiger werden und seine unterirdischen Ausflüge ausdehnen. Nachdem er noch einige Tage in den innerhalb eines Tages begehbaren Abschnitten des Tunnels geforscht und nichts weiter gefunden hatte, beschloss er, seine Entdeckungstour über Nacht auszudehnen. So hatte er deutlich mehr Zeit für die Erkundung.

Seine Eltern waren durch die letzten Wochen schon so an

seine verschlossene und distanzierte Art gewöhnt, dass sie keine Einwände erhoben und ihn ziehen ließen. Sie gingen davon aus, dass er in den warmen Nächten ein wenig das Gefühl von Freiheit zwischen den Tieren auf den Weiden genießen wollte. Einzig eine dicke Decke und eine Extraportion Essen steckte seine Mutter ihm zu, bevor er verschwinden konnte. Aus dem Stall hatte er sich schon vorher an dem Vorrat von Talgkerzen bedient, den er jetzt versuchte, mit seinen Vorräten in der Tasche zu verstauen.

Der Abstieg in die Schächte war für ihn inzwischen Routine, und Than brauchte deutlich kürzer als zu Beginn, um sich durch die ersten Meter in den Hauptschacht hinunterzubewegen. Das erste Stück durch den Hauptgang ging er ohne große Neugier und wurde erst etwas langsamer, als er sich in den ihm bisher unbekannten Teil begab. Ihm fiel auf, dass sich nach und nach die Farbe der Wände etwas änderte. Auf Höhe seiner Hände wirkten sie glatter, und es schien, als ob sich parallel zum Boden ein etwas dunklerer Streifen an den Seiten entlang zog. Auch der Boden des Tunnels wirkte anders, ohne dass er hätte genau sagen können, warum. Dieses Phänomen zog sich im weiteren Teil des Ganges durch. Ab und zu steckte er seinen Kopf in einen der höheren Nebengänge. Seine Lampe leuchtete die ersten Meter gut aus. Aber ihm fiel nichts Ungewöhnliches auf.

Das Rauschen des Wassers und die Geräusche des Flusses veränderten sich, je nachdem, welchen Weg der unterirdische Gang nahm und wie viel Gestein zwischen ihm und dem Fluss lag. Than ging aufmerksam weiter und versuchte dabei, jede Veränderung dieses neuen Ganges bewusst in sich aufzunehmen.

Hinter der nächsten Biegung blieb er stehen. Ein eiskalter Schauer durchlief ihn, ohne dass er hätte sagen können, warum. Er hob das Gesicht und drehte den Kopf, so weit er konnte, um zu erfassen, was plötzlich anders war. Vor Anspannung hielt er die Luft an.

Der Tunnel roch leicht nach dem vor Jahrhunderten behauenen Stein. Hier und da kam mit dem kühlen Luftzug, der durch die unterirdischen Gänge wehte, ein leichter Geruch von moderiger Feuchtigkeit dazu. Selbst die monotonen Geräusche von dem reißenden Strom über ihm schienen einen gewissen Rhythmus zu haben, der sich nicht verändert hatte. War da ein ungewöhnlicher Schatten an den Steinwänden am Rande des Sichtfeldes, der seinen Körper plötzlich in Alarmbereitschaft versetzte?

Er leuchtete in die Richtung des Ganges, aus dem er gekommen war. Alle seine Sinne waren auf Empfang. Etwas musste in der Nähe sein. Durch das Licht seiner Lampe konnte er nur wenige Meter in den Tunnel blicken. Der helle Schein blendete seine Augen so stark, dass alles dahinter liegende sich im Dunkeln verbarg. Langsam ließ er den erhobenen Arm mit dem Licht nach unten neben den Körper sinken.

Jetzt, wo die Lichtquelle nicht mehr so nah vor seinen Augen war, konnte er etwas weiter den Gang hinabgucken. Einen kurzen Moment brauchten seine Pupillen, um sich an die veränderten Lichtverhältnisse anzupassen. Dann konnte er ein Stück weiter die Wände des Tunnels entlangblicken. Der Gang lag im diffusen Halbdunkel, das weiter vor ihm im tiefsten Schwarz mündete. Aber da war nichts. Ihm wurde bewusst, dass er schon eine ganze Weile die Luft angehalten hatte. Mit einem Stoß atmete er aus und versuchte dabei, kein Geräusch zu machen.

Leise hob er das Glas der Lampe und befeuchtete vorsichtig Daumen und Zeigefinger mit etwas Spucke, bevor er sie fest um den Docht presste. Die Flamme knisterte und zischte leise, als sie erlosch. Der leichte Geruch von feuchtem Rauch wurde durch den Luftstrom weggetragen und verflüchtigte sich schnell. Instinktiv erfasste Than, dass der schwache Wind aus der Richtung seines Einstiegs in das Tunnelsystem kam. „Ein Vorteil für mich", schoss es ihm durch den Kopf. Denn wer oder was auch immer zwischen ihm und seinem Rückweg lag, hatte ihn vielleicht noch gar nicht bemerkt. Der Schein seiner Lampe drang normalerweise nur wenige Meter durch das Dunkel. Jetzt, wo er sie gelöscht hatte, konnte das schwache Licht ihn nicht mehr verraten. Sein Geruch und auch die leisen Geräusche, die er machte, wurden ebenfalls in die entgegengesetzte Richtung weggetragen und bargen so wenig Gefahr, durch sie entdeckt zu werden.

Es war nun stockdunkel um ihn herum. Er brauchte kurz, um sich an die Dunkelheit zu gewöhnen. Dann tastete er sich mit den Händen an der kühlen Wand des Tunnels entlang. Der Stein war teilweise feucht und fühlte sich unter seinen Fingern rau an. Er fand die Ecke, die er suchte. Hier musste der kleine Nebengang abzweigen, der ihm zuvor im Licht aufgefallen war. Erleichtert zog er sich um die Kante herum. Sein Kopf stieß unsanft gegen die harte Decke. Mit Mühe konnte er einen Schmerzlaut unterdrücken und duckte sich instinktiv etwas tiefer. Wie die anderen Seitengänge des Tunnelsystems war auch dieser deutlich schmaler und niedriger als der Hauptgang, und der grob behauene Stein ragte teilweise tief in den schmalen Gang und erschwerte ein Fortkommen.

Er lauschte. Das Wasser gluckerte und gluckste. Die durch den schnellen Strom aneinanderprallenden Steine sorgten stetig für eine unwirkliche Geräuschkulisse. Than versuchte, die Töne des reißenden Stromes auszublenden, und konzentrierte sein Gehör auf den Tunnelgang, der vor ihm lag. Alle seine Sinne waren in Alarmbereitschaft. Im Geiste versuchte er sich seinen Weg bis hierher in Erinnerung zu rufen. War etwas anders gewesen? Gab es irgendetwas, was auf jemand Fremdes hindeutete? Einen Menschen? Ein Tier? Ein eiskalter Schauer lief ihm über den Rücken.

„Der Abdruck!" Der Gedanke traf ihn wie ein Blitz. Er fluchte innerlich. War derjenige, der den Fußabdruck hinterlassen hatte, hier? In seiner Nähe? Er steckte den

Kopf in den Hauptgang. Es war nichts Ungewöhnliches zu hören.

Nach einer Weile ließ seine Angst nach, und er spürte deutlich, dass er nicht mehr lange in dieser unbequemen Haltung verharren konnte. Er nahm allen Mut zusammen und tat behutsam einen Schritt in den Hauptgang, blieb kurz stehen und lauschte. Noch einmal konzentrierte er alle Sinne auf den Gang und versuchte in der Dunkelheit etwas Ungewöhnliches zu spüren. Sein Instinkt, der ihn vorhin das Licht hatte löschen lassen, sagte ihm, dass er alleine war. Wer oder was er auch immer gespürt hatte, es war weg. Trotzdem verstaute er die Lampe und begab sich im Dunkeln auf den Rückweg. Seine einfachen Ledersandalen waren weich und verursachten beim Auftreten kaum ein Geräusch. Im Kopf überschlug er, wie weit er auf dem Hinweg gegangen war, aber durch die Unterbrechung konnte er nur eins sicher wissen: Noch nie hatte er sich so weit vorgewagt. Und das hieß, er musste sicher mehrere Kilometer gehen, bis er wieder in den bekannten Teil des Tunnels zurückgelangte.

Ab und zu machte er eine kleine Pause, um zu horchen, ob er etwas Ungewöhnliches wahrnehmen konnte. Aber er spürte nur den kalten Wind, der durch den Tunnel zog. Innerlich fluchte er über seine Dummheit. Hätte er bloß die Entdeckung des Tunnels nicht für sich behalten.

Er wurde abrupt aus seinen Selbstvorwürfen gerissen. Ein dumpfer Schlag ins Gesicht traf ihn völlig unvermittelt. Benommen taumelte er zurück. Ein Schreckenslaut entfuhr ihm, und er schlug sich sofort mit der Hand vor den Mund, um wenigstens den Rest davon zu unterdrücken. Fast hätte er sich panisch umgedreht und wäre in die Richtung gelaufen, aus der er kam. „Ruhig. Ruhig atmen", sagte er sich immer wieder und schaffte es so, seinen Puls zu beruhigen.

Ihn überlief ein kalter Schauer. Blitzartig suchte er in seinem Gedächtnis nach den Bildern des Ganges, durch den er noch vor weniger als zwei Stunden im Schein seiner Laterne gegangen war. Was hatte ihn getroffen?

Etwas Warmes rann träge über seine Lippe und kitzelte ihn. Than wischte es sich mit dem Handrücken weg. Es roch metallisch. Blut. Mit beiden Händen tastete er seine schmerzende Nase ab und stellte erleichtert fest, dass sie noch gerade war. Also nichts gebrochen.

Die Hände ausgestreckt, wagte er sich erneut in der Dunkelheit nach vorne, um auszumachen, was oder wer ihn getroffen hatte. Er meinte, etwas vor sich mit den Fingerspitzen zu spüren, und griff vorsichtig zu. In diesem Augenblick stürzte jemand auf ihn, und er wurde mit voller Wucht auf den steinigen Boden geschleudert. Sein Kopf schlug unsanft auf. Dann verlor er das Bewusstsein.

## 7 Der Junge

Er lag auf dem Boden, als er zu sich kam. Jemand tastete ihn geschickt ab. Hände. Er spürte eindeutig Hände, die versuchten, sich in der Dunkelheit ein Bild von ihm zu machen. Sie wanderten höher, und jetzt spürte er sogar den warmen Atem, der seinem Gesicht näher kam. Kalter Schweiß lief ihm über den Rücken und verursachte eine Gänsehaut. Seine Umhängetasche, die er beim Sturz fest umgriffen hielt, wurde ebenfalls untersucht. Than war zu benommen, um einen klaren Gedanken zu fassen. Was war das?

Mit einem Ruck wurde ihm der Riemen der Tasche unsanft von der Schulter gerissen. Dann hörte er ein lautes Scheppern, als der Inhalt über den steinigen Boden gekippt und durchwühlt wurde. Verwirrt achtete Than auf die Geräusche, die dann kamen. Erst ein Schnüffeln, dann ein lautes Kauen und dann eindeutig ein Schmatzen. Wer oder was ihm aufgelauert hatte, war hungrig.

Er nahm seinen ganzen Mut zusammen und räusperte sich laut. Sein Gegenüber hielt überrascht inne und verschluckte sich. Ein kräftiges Husten folgte. Reflexartig tastete Than nach dem Rücken des hungrigen Angreifers und klatschte ihm mit der flachen Hand von hinten auf die Rippen. Sein Schlag war nicht übermäßig stark, nur mit so viel Kraft, wie er sie bei einem Gleichaltrigen wohl angewendet hätte. Aber sein Gegenüber verlor von der Wucht das Gleichgewicht und wäre fast gestürzt. Und in diesem Augenblick war ihm auch klar, dass er es hier mit einer halben Portion zu tun hatte. Seine Angst war wie weggeblasen, und er musste innerlich schmunzeln.

„Nicht so gierig", sagte er und lachte erleichtert auf. Das Husten wurde weniger, und Than nutzte die Ablenkung, um auf dem Boden nach seiner Lampe zu tasten. Zum Glück spürte er schnell einen Teil des Glases unter seinen Fingern. Es war heil. Auch Feuerstein und ein Bündel trockenes Gras bekam er zu fassen und machte geschickt Licht.

Erschrocken hielt er inne. Das, was ihm im dämmrigen Schein entgegensah, hatte auf den ersten Blick wenig Ähnlichkeit mit einem Menschen. Ein Junge, dünn wie ein Kind, etwas kleiner als er und so abgemagert, dass die Wangenknochen spitz hervorstachen. Die dunklen Augen wirkten übergroß in dem ausgemergelten Gesicht und wurden fast komplett von dichtem, dunklem Haar verdeckt. Er kaute gierig und nahm schon wieder den nächsten Bissen von Thans Proviant in den Mund. Bei dem Anblick erlangte Than seine alte Souveränität endgültig wieder zurück. Er hockte sich auf den kühlen Stein des Ganges, saß einfach nur da und schaute zu, wie seine Vorräte in Windeseile verspeist wurden. Nur kurz stand er auf, um ein großes Stück Käse, das beim Ausschütten der Tasche ins Abseits gerollt war, wieder herzuholen. Seine neue Bekanntschaft nahm es mit einem dankbaren Blick entgegen und schlang es hinunter.

Wenige Meter von ihnen entfernt baumelte ein großer Holzteller an einem schweren Seil in der Luft. Ein weiteres Seil schwang im Luftzug locker daneben. Die Seile verschwanden in einer großen Luke weit oben in der Decke. Diese Öffnung war ihm auf dem Hinweg nicht aufgefallen. Zu sehr hatte Than sich auf den Weg voran durch den Hauptgang konzentriert und nur einen kurzen Blick für das gehabt, was rechts und links von ihm war. Der Einstieg war durch eine kleine Kante im Gestein etwas verborgen. Er rieb sich bei dem Anblick die Nase, denn ihm wurde klar, gegen was er zuvor so schmerzhaft gestoßen war. Das Holz.

Der Junge musste sich mit seiner Konstruktion in den Tunnel gelassen haben, kurz nachdem Than die Stelle passiert hatte. Das dabei verursachte Geräusch oder auch ein veränderter Luftzug hatten ihn wohl vorhin in Alarmbereitschaft versetzt.

Noch während Than versuchte zu begreifen, dass er gerade auf einen seinesgleichen getroffen war, schwang sich der Junge wieder auf seinen Holzteller und kletterte schnell nach oben durch die Luke. Than blieb verdutzt zurück. So hatte er sich die erste Begegnung mit einem Menschen von einer der anderen Inseln nicht vorgestellt. Instinktiv hielt er den Holzteller mit beiden Händen fest, als der Junge ihn hochziehen wollte. Doch mit einem kräftigen Ruck riss der ihm die Konstruktion aus den Händen, sobald er oben angekommen war. Irritiert schaute Than nach oben. Mit etwas Glück könnte er auch ohne das Seil hinter dem Jungen herklettern. Aber irgendetwas hielt ihn davon ab.

Auf dem Weg durch den Tunnel nach Hause rasten ihm tausend Gedanken durch den Kopf. So schnell wie nie zuvor stand er wieder oberhalb des Schachtes und schloss die Luke. Ein kalter Wind pfiff ihm um die Ohren. Überrascht legte er seine Arme um den Körper, um sich etwas zu wärmen. Er rannte in der Dunkelheit nach Hause, ohne eine Pause einzulegen, und nur durch Glück stolperte er nicht auf dem von Wurzeln durchsetzten Pfad.

Völlig außer Atem stürzte Than ins Haus und nahm gleich zwei Treppenstufen auf einmal, um ins Zimmer seiner Eltern zu gelangen. Die Zeit der Geheimnisse war für ihn vorbei. Diese Entdeckung konnte er nicht für sich behalten.

Beide lagen im Bett und schliefen noch. Sein Vater hatte einen leichten Schlaf und wurde durch das Geräusch wach, als Than nach Luft ringend in der Tür stand.

„Than. Was ist los?", flüsterte er besorgt und warf einen Blick auf seine schlafende Frau.

„Ich habe jemanden entdeckt. Wir sind nicht alleine", sprudelte es aus ihm heraus. „Es ist unglaublich. Im Tunnel. Da ist jemand."

Mit einem Satz war sein Vater aus dem Bett gesprungen und zog ihn mit sich nach draußen auf den Flur. „Was?" Er zog die Tür zum Schlafzimmer leise hinter ihnen zu, um seine Frau nicht zu wecken. „Wen hast du gesehen? Welcher Tunnel?" Er zog ihn mit sich die Treppe hinunter in den Wohnraum und bugsierte Than an den großen Esstisch. Als sich beide gesetzt hatten, sah er Than fest in die Augen. „Ich glaube, du hast mir etwas zu erzählen, Junge."

Und Than begann, erst von der Aufregung konfus, aber je länger er sprach, desto mehr konnten sich seine Gedanken sortieren und das, was er sagte, wurde flüssiger. Er begann bei dem Tagebuch, dem Schacht, ließ seine wochenlangen Mühen mit dem Aushub des verschütteten Zugangs allerdings weg. Trotz seiner Aufregung schaltete sich sein Verstand langsam wieder ein, und er wollte vermeiden, dass sein Vater merkte, wie lange er heimlich auf dem Berg gearbeitet hatte.

„Der Stein?", unterbrach dieser ihn nur kurz. „Der Stein kommt dann vermutlich auch aus dem Stollen?"

Stumm nickte Than. Sein Vater schien nicht böse zu sein, weil er ihnen eine Lüge aufgetischt hatte. Viel zu sehr war er an den Entdeckungen seines Sohnes interessiert.

Während sie im aufziehenden Morgengrauen sprachen, entwickelte sich draußen ein kräftiger Sommersturm. Es klapperte und wehte um das Haus, und die Stallungen und ein kalter Luftzug drang durch jede Ritze. Thans

Vater stand kurz auf, um die Glut in der Feuerstelle wieder zu neuem Feuer zu entfachen, und legte mehr Holz nach als für diese Jahreszeit üblich war.

„Du weißt, was das heißt?", fragte er zum Schluss, als Than mit seinen Erzählungen geendet hatte.

Aber Than sah ihn nur fragend an.

„Wir müssen den Jungen finden. Wir müssen wissen, wer er ist und ob es noch mehr von ihnen gibt. Konnte er sprechen?"

„Ich weiß es nicht. Er war so schnell wieder weg, dass ich ihn nichts fragen konnte."

„Wir müssen zu ihnen. Am besten, gleich. Je mehr wir sind, desto besser können wir uns gegen den Fluss und die Follots wehren. Weck deine Mutter und sag ihr, was wir vorhaben."

Than tat, was ihm aufgetragen wurde, und versuchte seiner völlig verdutzten Mutter zu erklären, was passiert war.

Die rieb sich aber nur die Augen und schaute ihn verschlafen an. „Aha", war das Einzige, was sie herausbrachte. Langsam stieg sie aus dem Bett und zog eine dicke Strickjacke aus der unteren Schublade ihrer Kommode. „Und jetzt besucht ihr den Jungen? Weiß der, dass ihr ihm nichts Böses wollt? Was ist, wenn sie mit mehreren sind und uns als Feinde ansehen?" Sie hatte noch nicht ganz begriffen, was alles geschehen war, seit sie am vergangenen Abend müde ins Bett gefallen war. „Will dein Vater da auch hin? Wo ist er überhaupt?" Sie schob Than zur Seite und ging auf der Suche nach ihrem Mann voran durch die Tür.

Ihr Mann hatte auf dem großen Tisch allerlei Gegenstände aufgereiht, die er einen nach dem anderen in einem großen Beutel verstaute. Darunter waren eine Lampe, Kerzen, Käse, Brot und auch zwei große Messer von der Sorte, mit denen er Than früher gelehrt hatte, wie er sich selber verteidigen kann. Stumm wanderte ihr Blick zwischen den Sachen und ihrem Mann hin und her, bis er sie endlich wahrnahm und ihr strahlend in die Augen schaute. Sie schluckte ihre Gefühle herunter und versuchte zu lächeln.

„Ich sehe schon, ich kann euch nicht aufhalten. Dann macht euch schon auf den Weg."

Vohn zog sie erneut an sich und hielt sie im Arm. „Wir sind bald zurück. Das verspreche ich." Mit diesen Worten löste er sich von ihr und räumte schnell die übrigen Gegenstände in den großen Beutel.

Than kam dazu und deutete auf die Messer. „Wirklich?", fragte er nur.

Sein Vater nickte.

Jitha stand noch eine Weile am Fenster und schaute ihnen hinterher, wie sie den Hügel hinaufstiegen. Über den Schultern trugen beide die Reste der alten, zerfetzten Netze. Draußen bog der Sturm die Bäume gefährlich zur Seite, und sie betete, dass sie ihre beiden Männer heil zurückbekam.

Sie ging auf die Veranda, um die Bank mit den Kissen weiter unter die Überdachung zu schieben. Dabei fiel ihr auf, dass einige Bündel mit Kräutern, die sie zum Trocknen unter das hervorstehende Dach ihres Hauses gehängt hatte, sich durch den Sturm gelöst hatten und auf dem trockenen Boden verstreut lagen.

Sie ging um das Haus herum, um zu schauen, ob noch mehr Schaden entstanden war. Während sie die kleinen Sträuße aufhob und sich unter den Arm klemmte, fiel ihr Blick auf das Gras. Eine ganze Horde von schillernd blauen Käfern krabbelte zielstrebig um das Haus. Ihr Ziel war unübersehbar: Sie steuerten direkt auf die hölzernen Klappen der Vorratsluken zu, die sich hinter dem Haus befanden. Eine stand mehr als eine Handbreit offen. Die ersten Tiere krabbelten bereits geschickt hinein.

„Weg mit euch!" Jitha lief laut schimpfend zu ihrem Vorratsspeicher. Mit beiden Händen schaufelte sie die an ihrem Ziel angekommenen Käfer von dem Lukenrand und verschloss den Deckel fest. „Vohn. Sei froh, dass ich es rechtzeitig gemerkt habe!", sagte sie streng, obwohl er sie nicht hören konnte.

Dann nahm sie eine Schaufel aus dem Stall und grub ein kleines Loch, in das sie alle Käfer beförderte, die sie finden konnte. Zum Schluss holte sie einen brennenden Scheit Holz mit der Feuerzange aus dem Ofen im Haus und warf ihn auf die kleinen Tiere. Sofort hörte man die platzenden Panzer knacken und zischen. Es stank fürchterlich. Jitha hielt sich ihren Pullover vor das Gesicht und atmete durch die Wolle.

Als sie sich sicher war, dass alle verbrannt waren, ging sie zurück zur Vorratsluke. Sie hob den Deckel ganz hoch und warf einen Blick hinein. Durch das Halbdunkel sah sie, dass ihre sorgfältig gestapelten Käselaibe kreuz und quer auf dem Boden lagen. Auch die anderen Körbe mit getrockneten Früchten und die Tonkrüge mit Getreide waren verschoben und teilweise umgekippt. Ihr war sofort klar: Das war kein Werk des Sturms, auch nicht der Käfer oder ihres Mannes. Hier hatte jemand über Nacht ihre Vorräte geplündert.

„Oh nein – der Fremde", schoss es ihr durch den Kopf. Am liebsten hätte sie sofort alles stehen und liegen lassen, um Vohn und Than hinterherzueilen und sie zu warnen. Aber sie hatte Angst. Was, wenn noch jemand in der Nähe war? Was, wenn es viele waren, die es auf ihr Essen abgesehen hatten? Langsam ging sie zum Haus zurück und schaute sich dabei vorsichtig um, immer auf der Hut und mit einem Auge für etwas Ungewöhnliches.

Im Haus schloss sie sofort die Tür und verriegelte sie. Danach nahm sie eins ihrer scharfen Küchenmesser in die Hand und ging alle Räume durch. Sie prüfte zuerst alle Fenster, die aber bereits von innen verschlossen waren, und durchsuchte einen Raum nach dem anderen. Aber da war nichts. Erleichtert kehrte sie vom oberen Stockwerk nach unten zurück und legte das Messer in Reichweite auf den Tisch.

Mit ihren Gedanken war sie bei den fehlenden Nahrungsmitteln. Was war verschwunden? Aus ihrer Erinnerung versuchte sie das Chaos in der Vorratskammer zu sortieren. Scheinbar waren Getreide und das bereits gemahlene Mehl unangetastet geblieben. Es fehlten auf jeden Fall einige der kleinen, runden Käselaibe, Brot und einige Krüge mit selbstgebranntem Schnaps. Konnte das ein Einzelner tragen? Oder waren hier mehrere Plünderer am Werk?

Währenddessen waren Than und sein Vater bereits die ersten Meter in das Tunnelsystem hinabgestiegen. Than versuchte zu zeigen, wie er sich mit geschickten Griffen auch ohne Hilfe den Schacht abwärtsbewegen konnte. Durch die Übung hatten seine Muskeln sich der Bewegung angepasst, und er spürte kaum die Anstrengung.

Vohn hingegen tat sich schwer. Er war kleiner und deutlich kräftiger gebaut. Sein linkes Bein war etwas steif. Schnell stellte er fest, dass er selbst mit mehr Übung Thans Technik nicht nachahmen konnte. Sein Rücken berührte nur mit Anstrengung die Schachtwand, wenn er sich beim Abstieg mit beiden Beinen auf der gegenüberliegenden Seite abstützte.

Aber an diese Schwierigkeit hatten sie gedacht. Beide stiegen wieder nach oben auf die Wiese und breiteten dort die zerfetzten Überreste der Fischnetze aus. Mit ihren scharfen Messern schnitten sie gleichmäßige Bahnen zurecht, die aneinandergeknotet eine solide Strickleiter ergaben.

„Lass uns aus den Resten ein langes Seil knoten", schlug Vohn vor.

Than prüfte die überstehenden Reste des Dornenbusches, den er bei seiner Entdeckung des Einstiegs abgesägt hatte. Er war fest in der Erde verankert und bewegte sich nicht, als er daran rüttelte. Da dies die naheliegendste Befestigungsmöglichkeit in der Nähe der Luke war, probierte er sie gleich aus.

Irgendetwas war anders, als sie gemeinsam in den Schacht stiegen. Than hatte eine Lampe angezündet und sie sich mit einem Tauende um den Hals geknotet. Das Glas wurde zwar nach einiger Zeit unangenehm warm auf seiner Haut, aber das diffuse Licht half dabei, sicher in jede der Schlaufen zu treten. Ruhig stiegen sie durch die Schächte hinab und waren bald in dem waagerechten Gang angelangt. Sie hatten sogar zu viele Taue aneinandergeknüpft, so dass noch einige Meter der Leiter auf dem Boden zum Liegen kamen.

Than nahm sich als Erstes die Lampe vom Hals und rieb sich seinen warm gewordenen Bauch. Mit dem Licht in der einen Hand, zeigte er seinem Vater den Weg und ging voran. Als er keine Schritte hinter sich hörte, drehte er sich kurz um. Da stand Vohn, noch völlig überwältigt von der ungewohnten Geräuschkulisse und dem gewaltigen Tunnelgang, der vor langer Zeit von Menschenhand geschaffen worden sein musste. Than ging zurück und zog Vohn am Pullover. Gemeinsam begaben sie sich auf den unterirdischen Weg flussabwärts.

„Vielleicht brauchen wir gleich den Rest der Strickleiter", überlegte Than laut. „Der Junge hatte eine Konstruktion mit einem Seil von oben, an dem er in den Schacht hineinklettern konnte. Aber er hat alles wieder schnell nach oben gezogen, nachdem er durch die Luke durch war."

Sein Vater nickte nur.

„Oder du hilfst mir, die ersten Meter zu überbrücken. Ich könnte auf deine Hände steigen und mich dann nach oben hangeln."

Als sie näher kamen, sahen sie aber, dass es gar nicht nötig war, sich eine Aufstiegsmöglichkeit zu überlegen. Vor ihnen tauchte im Dunstkreis ihrer Lampe das lange Seil auf, das mit seinem Holzteller genügend weit in den Gang hineinragte. Überrascht schauten sich beide an.

„Er scheint hier unten zu sein", wunderte Than sich. „Komisch, ich war mir sicher, dass wir alleine sind."

Sein Vater griff sich instinktiv an die Seite seines Gürtels, an dem sein Messer befestigt war.

„Vater, es ist ein Junge", sagte Than grinsend. „Steigen wir beide auf?", fragte er mit einem Blick zu seinem Vater.

„Ja. Denn wenn wir entgegen aller Erwartungen angegriffen werden, können wir uns gegenseitig helfen."

Than war überrascht. „Glaubst du das denn? Glaubst du, dass ein Ihmada seinesgleichen angreift?"

„Ich weiß es nicht, Than. Wer weiß, unter welchen Umständen der Junge hier lebt. Er muss ja zumindest Eltern haben, denn so jung, wie du ihn beschreibst, kann er erst nach der Flut auf die Welt gekommen sein."

„Aber die Ihmada sind doch ein friedliches Volk?"

„Das ja, aber seien wir lieber vorsichtig."

Die Konstruktion mit der kleinen tellerförmigen Plattform erwies sich als gute Ausgangsposition. Vohn hielt das Holz mit beiden Händen fest, damit Than noch leichter aufsteigen konnte. Die Luke war eine grobe Holzplatte, die deutlich größer war als der Einstieg. Than konnte sie leicht nach oben wegdrücken und dann langsam den Kopf nach oben strecken.

Sein Blick schweifte über die unbekannte Insel, und er versuchte zu erfassen, wo er gelandet war. Der Sturm war inzwischen etwas abgeklungen. Das Land schien karg und war an einigen Stellen niedergebrannt. Verkohlte Baumstümpfe und kahle, schwarze, verbrannte Flächen nahmen den überwiegenden Teil seines Sichtfeldes ein. Aber soweit er schauen konnte, war nichts von dem Jungen oder anderen Personen zu sehen. Und auch kein Follot warf seinen mächtigen Schatten auf das Land. Er gab seinem Vater ein Zeichen nachzukommen und stieg ganz aus der Luke.

Than stellte sich auf einen größeren Stein und blickte aus der erhöhten Position nochmals über die Insel. Seinen Vater hörte er schon neben sich angestrengt atmen. Er kam ebenfalls heraus und gesellte sich zu ihm.

„Hier wohnt jemand? Bist du sicher?" Zweifelnd schaute er umher.

„Lass uns die Luke schließen und ein wenig umsehen", schlug Than vor.

Gemeinsam begaben sie sich über die abgebrannten Wiesen hügelabwärts. Die Insel war etwas kleiner als ihr Zuhause, aber früher sicher ebenso fruchtbar und reich bewachsen. Jetzt überwogen allerdings die verkohlten Flächen. Plötzlich stoppte Than und schaute sich um.

„Irgendetwas höre ich."

„Stimmen?"

Beide blieben wie angewurzelt stehen.

„Vor uns", flüsterte er. „Aber da ist nichts."

Than beugte sich etwas vor. Und dann sah er es. In

einiger Entfernung den Hügel hinunter war hinter einem Vorsprung ein kleiner Platz, wie eine Feuerstelle. Rundherum lagen Krüge und Körbe und Lebensmittel. Von da kamen die Stimmen. Sie waren zu weit entfernt, und durch die Geräusche des Windes in den Bäumen konnten sie nicht genau hören, was dort gesprochen wurde. Aber es waren Menschen. Und sie waren laut. Grölte da etwa jemand?

Vohn ging aufgeregt ein Stück weiter abwärts und lauschte dann wieder. „Than, die sind betrunken", zischte er.

Than kam nach und warf einen Blick über die Schulter seines Vaters. „Und die Krüge kommen mir bekannt vor."

„Than, bleib hier, ich gehe nach unten. Ich muss sehen, wer diese Menschen sind", gab sein Vater ihm Anweisungen.

Than nickte stumm und hockte sich an eine kleine Tanne, die vom Feuer scheinbar verschont geblieben war. Er beobachtete aufmerksam den Himmel und suchte mit den Augen die Umgebung nach Follots ab. Zum Glück sah er keine. Sein Vater ging währenddessen immer wieder Deckung suchend den Hügel hinab, bis er nach einer Biegung aus seinem Sichtfeld verschwand. Die lauten Rufe und undeutlichen Worte waren unverändert zu hören. Daraus schloss er, dass sein Vater noch nicht entdeckt worden war.

Dann wurde es ruhig. Than versuchte aus den

Geräuschen der Natur herauszuhören, was dort unten geschah, aber es gelang ihm nicht. Er wartete eine ganze Weile, und als er gerade beschloss, seine Position zu verlassen und nach seinem Vater zu schauen, tauchte der wieder auf.

„Than, komm mit. Das musst du sehen." Vohn winkte seinen Sohn heran, als er in Rufweite war.

Than lief ihm rasch entgegen. „Aber verraten wir uns nicht?"

„Du, die sind so betrunken, dass sie alle nacheinander eingeschlafen sind. Sei leise, dann hörst du sie schon schnarchen."

Und tatsächlich konnte Than das unregelmäßige Grunzen und Schnauben von mehreren Männern hören. Gemeinsam gingen sie den Weg nach unten, und hinter einer Biegung sah Than die Wölbung eines großen Höhleneinganges. Davor war ein Platz, den er von oben bereits als Feuerstelle erkennen konnte. Jetzt brannte dort allerdings kein Feuer. Nur die Vorräte, die von Nahem noch verdächtiger nach ihren eigenen aussahen, lagen weit verstreut auf dem halbrunden Platz.

In der Höhle lagen nebeneinander fünf verwegene Gestalten. Vier erwachsene Männer und der Junge, dem er am Tag zuvor begegnet war. Alle bis auf den Jungen hatten zottelige Bärte und sahen ungepflegt und verschmutzt, aber nicht abgemagert aus. Zwischen ihnen standen noch weitere Krüge von der gleichen Sorte, wie

Thans Eltern sie für die Lagerung der Schnapsvorräte nahmen.

Tief in das Innere des natürlichen Unterschlupfs konnten sie nicht schauen, der größte Teil war mit Fellen verhangen. Felle von Hirschen, Rehen und Hasen, die sie auf ihrem Stück Land nicht hatten.

Beide schauten sich die Szene genauer an, dann hob Vohn seinen Daumen und zeigte schräg nach oben auf den Weg, den sie gekommen waren. Than verstand ihn sofort. Rückzug. Er nickte und beide wendeten sich von der Gruppe ab, die weiter lautstark vor sich hin schnarchte.

Als sie außer Sicht waren, platzte es aus Than heraus: „Kennst du die Männer? Wer sind die? Ihmada?"

Er hatte durch die Geschichten seiner Eltern und durch deren gepflegtes Äußeres ein völlig anderes Bild von seinem Volk bekommen, als es sich ihm hier bot.

Sein Vater rieb sich nachdenklich das Kinn. „Wenn ich ehrlich bin", begann er, „ich weiß es nicht."

„Und jetzt?"

„Jetzt nutzen wir die Zeit. Die dort unten sind so betrunken. Reden können wir mit denen nicht. Von denen wird keiner vor morgen früh wieder auf die Idee kommen, einen Schritt in den Tunnel zu tun. Wir nutzen unseren Vorsprung. Die wissen jetzt, dass es uns gibt, dass es Vorräte gibt, die sie scheinbar gut gebrauchen können. Wir gehen sofort los und erkunden die Schächte weiter und haben dann noch genug Zeit, um in Ruhe nach Hause zurückzukehren und unsere Luke vor der Bande vorerst zu sichern."

Than fand, dass das ein guter Vorschlag war, und beide stiegen das letzte Stück den Hügel hinauf und ließen sich wieder in den Tunnel hinab. Vohn drückte Than wieder die Leuchte in die Hand, und sie gingen den Hauptgang immer weiter entlang. Hin und wieder leuchteten sie in einen der größeren Nebengänge und verfolgten diese teilweise auch mehrere Meter, aber erfolglos. Jeder dieser Gänge verengte sich schon nach kurzer Strecke und wurde für sie so unpassierbar.

„Hier wurden Erze abgebaut." In einem dieser Nebengänge zeigte Vohn seinem Sohn eine feine glänzende Ader im Gestein. „Deswegen gehen sie auch nicht weit hinein, die Gänge. Sie wurden nur so weit ausgeschachtet, dass man der Erzader folgen und alles von dem kostbaren Gestein aus dem übrigen Fels lösen konnte."

„Woher weißt du das?"

„Geschichten. Die Zeiten des Bergbaus waren zu meiner Kindheit schon längst vorbei. Es gab einige Minen, und davon erzählten auch unsere Väter und Großväter. Aber irgendwann waren die Quellen versiegt oder der Abbau war zu mühsam. Dann suchten sie sich neue Adern. Die sind aber im Gebiet der Odonen. Viel weiter im Osten."

Während sie sprachen, waren sie weitergegangen, und der Hauptgang hatte einige kleine Windungen gemacht. Und genau hinter einer dieser Windungen blieben sie jetzt stehen. Oben in der Decke war eindeutig ein Schacht. Ein Schacht, der so gerade nach oben führte, dass nur ein Ausgang darüber liegen konnte.

Than leuchtete hinauf. Hier war das Rauschen des strömenden Flusses besonders laut. Die Steine schienen durch die Bewegung des Wassers wie von Riesen bewegt zu quietschen und kratzen. Flüssigkeit tropfte in den Schacht und hinterließ auf dem Boden eine kleine Pfütze.

„Ich glaube, dieser Ausgang endet unter Wasser."

Ohne den Schacht weiter zu prüfen, gingen sie weiter. Nach einer Weile tat sich über ihnen wieder steil nach oben ein Gang auf. Dieser war breiter als der Letzte und glich im Durchmesser dem, der zu ihrem Zuhause führte.

„Lass mich, Vater", bat Than.

Der Weg ging weit nach oben. Wieder versperrte ihm eine stabile Holzdecke den Durchgang nach draußen. Er drückte kräftig dagegen, und mit einem saugenden Geräusch löste sich die Luke vom Erdreich. Lose Erde bröckelte dabei ab und rieselte nach unten in den Gang, als er die Abdeckung leicht anhob.

Than lugte vorsichtig nach oben durch den Spalt nach

draußen. Der Wind hatte wieder zugenommen und wehte ihm Staub und abgestorbene Grashalme ins Gesicht. Mit beiden Händen rieb er sich die Augen, bis er wieder klar gucken konnte.

Er befand sich wieder auf einer höher gelegenen Lichtung. Hohe Bäume umsäumten das spärlich bewachsene Feld und versperrten ihm die Sicht. Aber eins sah er sofort: Falls hier jemand wohnen sollte, war dieser Einstieg bisher noch nicht entdeckt worden. Zu viel Erde und Grasbewuchs fand sich noch auf dem Holzdeckel.

Than stemmte sich mit beiden Armen hoch. Die Lichtung war klein und von Tannen umsäumt. Hinter den Bäumen konnte Than schon das Wasser ahnen, also war diese Insel wohl zu klein, um bewohnt zu sein. Ein kleiner Wald umgab die Lichtung. Than schaute sich um. Es roch frisch und würzig, und der böige Wind blies ihm den Geruch des Wassers entgegen. Nach kurzer Zeit gelangte er an eine Felskante, unter der es steil bergab ging. Die letzten Meter waren frei von Bäumen und sahen aus wie eine natürliche Aussichtsplattform. Es war ein Fleckchen Erde, das scheinbar nur von Insekten und Vögeln bewohnt wurde.

Than trat auf den Vorsprung. Zum ersten Mal in seinem Leben hatte er eine weite Sicht auf den Fluss abwärts. Und das, was er von seinem Standort aus sah, verblüffte ihn so, dass er einen überraschten Laut ausstieß.

## 8 Das Dorf

Er rieb sich die Augen und blinzelte. Aber der Anblick blieb. Genau gegenüber lag eine zweite Insel. Ein riesiges hohes Plateau, das wie ein Tanker aus dem Wasser ragte und trotz Gischt und Dunst gut zu erkennen war. Than konnte sogar eine kleine Anordnung von Hütten ausmachen. Auf den Weiden sah er kleine Punkte, die sich bewegten. Eindeutig Vieh. Menschen sah er nicht.

Er ging weiter hinaus auf den Vorsprung, um besser sehen zu können. Dabei trat er auf etwas Rundes und rutschte aus. Panisch klammerte er seine Hände ins Erdreich und rechnete schon damit, in die Tiefe zu stürzen. Aber zum Glück war er noch einige Schritte vom steilen Abgrund entfernt.

Er schaute nach, was ihn zum Stolpern gebracht hatte, und erstarrte. Vor ihm lagen in einer kleinen Senke Knochen. Ausgeblichene, weiße Knochen, die auf den ersten Blick an vertrocknete dünne Hölzer erinnerten. Zuerst dachte er an ein Tier, das sich zum Sterben auf die Lichtung bewegt hatte. Aber dann sah er einen menschlichen Schädel. Than drehte sich zur Seite und musste würgen.

Hier, in Sichtweite zu der großen bewohnten Insel, hatte

ein Mensch gelebt. Ein Mensch, der sich zwar vor der großen Flut zunächst in Sicherheit hatte bringen können, um dann mit Gesellschaft und Nahrung vor den Augen auf seinem abgeschnittenen Flecken Erde zu verhungern.

Er untersuchte die Fundstelle näher. Dabei fielen ihm auch einige Knochen auf, die in komischem Winkel auseinandergebrochen waren.

Than ging zurück in den kleinen Wald und suchte einige abgebrochene Äste zusammen. So einfach wollte er die Überreste nicht Wind und Wetter weiter aussetzen. Er schüttete seine Beute in die kleine Senke und bedeckte damit die letzten Überreste. Dann kehrte er zurück zu der Einstiegsluke.

Schon während des Abstiegs berichtete er seinem Vater aufgeregt von seinen Entdeckungen und trieb ihn an, mit ihm weiter vorne im Tunnel den nächsten Aufstieg zu suchen. Beide schritten den Tunnel entlang, und Vohn hielt dabei immer wieder die Lampe nach oben, um nach einem Einstiegsschacht zu suchen. Aber sie wurden nicht fündig. Die Fläche, die sie abzusuchen hatten, war unter Tage leicht auszumachen, denn überall da, wo sie kein Rauschen des Wassers hörten, mussten sie sich unter festem Land befinden. Dabei erkundeten sie abwechselnd die Nebengänge. Aber so sehr sie auch suchten, sie konnten keinen Aufstieg finden.

Schließlich war es Vohn, der ihre Erkundungen beendete: „Wir müssen zurück. Hast du eine Ahnung, wie lange wir schon hier unten sind?"

„Hmmm? Wie lange?"

„Zu lange. Es wird sicher bald dunkel. Lass uns für heute die Suche beenden und nach Hause gehen."

Auf dem Rückweg fielen Than wieder die betrunkenen Diebe auf der kleinen Insel ein. „Vater, hast du wirklich keinen von den Leuten erkannt?"

„Ich kann es dir nicht sagen. Lass uns zu Hause erzählen, wen wir vorgefunden haben, vielleicht hat deine Mutter eine Idee, wer die Männer sein könnten."

„Was ist, wenn sie wieder auf unsere Insel kommen? Sie scheinen ja zu wissen, dass es uns gibt, und haben trotzdem nichts mit uns zu tun wollen. Glaubst du, dass die alle bei uns auf der Insel waren?"

„Ich weiß es nicht, aber ich könnte mir eher vorstellen, dass nur der Junge geplündert hat, und alles, was er tragen konnte, bis zum Einstieg brachte. Die anderen können bei ihrer Statur ohne Hilfsmittel kaum den Schacht hochgeklettert sein. Dafür sahen sie zu füllig aus. Vielleicht haben sie unten gewartet."

Jetzt fiel auch Than wieder ein, dass er bei ihrem Einstieg in das Tunnelsystem von ihrer Insel ein komisches Gefühl hatte. Irgendetwas war anders als sonst gewesen. Und jetzt, wo er darüber nachdachte, ahnte er auch, was es war. Das Gras in der Umgebung der Plattform war großflächig heruntergedrückt gewesen. In ihrem Eifer, ein langes Seil zu knüpfen, hatte er registriert, dass etwas nicht so war, wie er es hinterlassen hatte. Doch die Aufregung, seinen Vater bei sich zu haben und mit ihm seine Entdeckungen weiterzuführen, hatte ihn unaufmerksam gemacht.

Vohn war als Erster wieder oben und steckte seinen Kopf aus der Luke. Es war schon dunkel. Seine Augen hatten sich nach der schwachen Beleuchtung durch ihre Lampe noch nicht an die Schwärze der mondlosen Nacht gewöhnt. Er ahnte mehr, als dass er es sah: Aus den Dornenbüschen löste sich eine Gestalt und kam mit erhobener Keule auf ihn zu. Than löschte währenddessen die Lampe im Tunnel und machte sich ohne Seil an den Aufstieg, in seiner bewährten Art. Er war schon dicht hinter seinem Vater, als er dessen Überraschungslaut hörte.

Und dann war da die Stimme seiner Mutter: „Ein Glück, ihr seid es." Die Erleichterung war ohne Weiteres aus ihren Worten herauszuhören. „Ich dachte schon, die Diebe wären zurück. Todesangst habe ich um euch gehabt."

Beide stemmten sich nacheinander am Rand des Eingangs ab und stiegen das letzte Stück aus der Luke.

Seine Mutter umarmte beide kräftig. „Kaum seid ihr weg gewesen, da habe ich entdeckt, dass ein Teil unserer Vorräte verschwunden ist. Ich hatte Angst um euch. Ein

Junge alleine kann solche Mengen nicht alleine weggebracht haben."

Than und Vohn erzählten ihr von den Aufstiegen im Tunnelsystem zu den anderen Inseln.

„Es muss ein altes Stollensystem sein. Überall gibt es Abzweigungen und Luken. Aber der größte Teil ist wirklich unter Wasser. Zum Glück sind sie gut verschlossen worden, und der Druck der Steine und des Wassers dichten die Öffnungen hervorragend ab. Sonst hätten wir gar keine Chance gehabt, so weit zu kommen."

„Seht ihr die Felsbrocken da hinten?" Alle drehten sich in die Richtung, in die Vohn zeigte. „Wir rollen sie gleich gemeinsam über die Abdeckung. Mit etwas Glück können wir so unsere Diebe an einem erneuten Betreten der Insel hindern."

Schweigsam zogen sie gemeinsam die schweren Brocken heran und deckten damit den Einstieg in das Tunnelsystem ab.

Than erwachte am nächsten Tag wie gerädert. Als er sich an die Diskussionen der vergangenen Nacht erinnerte, wurde er schlagartig hellwach. Es gab viel zu tun. Er stieg schnell aus dem Bett und öffnete die Fenster, um frische Luft in sein stickiges Zimmer zu lassen. Ein Blick nach draußen machte deutlich, dass bereits der frühe Herbst begonnen hatte. Der Dunst über dem Fluss war noch undurchdringlicher als sonst, und um die Hütte breitete sich dichter, weißer Bodennebel aus. Er hörte leise, gedämpfte Schritte draußen. Kurz erschrak er und war erleichtert, als der Kopf seines Vaters schemenhaft aus dem Dunst auftauchte.

Am vergangenen Tag hatte seine Mutter bereits eine Bestandsaufnahme von allem gemacht, was fehlte. Aber neben dem verschmerzbaren Verlust des Alkohols und einigem anderen Luxus, wie beispielsweise Honig, waren sie glimpflich davongekommen. Nur einige Käselaibe fehlten, und da sie genug Milch hatten, konnten sie diese Vorräte wenigstens schnell wieder auffüllen. Ein Poltern von unten erinnerte Than daran, dass er seinem Vater helfen sollte, alles für ihre gemeinsame Aktion zusammenzusuchen.

Später am Vormittag standen sie alle drei außer Atem an ihrem Einstieg in das Tunnelsystem. Mehrere Male mussten sie zwischen dem Haus und dem versteckten Aufstieg zum Plateau hin- und herpendeln, um alles, was sie brauchten, heranzuschaffen. Jetzt war alles, auch das letzte Stück, transportiert.

Thans Blick fiel auf die Luke, und er erschrak. Die schweren Brocken, mit denen sie nach ihrer Rückkehr den Lukendeckel beschwert hatten, waren gefährlich weit auf die Seite gerutscht. Jemand musste in den letzten Stunden versucht haben, erneut ihre Insel zu betreten.

Schnell machte sich Vohn daran, aus einigen langen

Holzbalken eine stabile Sicherung für die Luke zu zimmern, die mit etwas Geschick auch ohne viel Kraft von außen bedient werden konnte. So konnte seine Frau nach ihrem Abstieg dafür sorgen, dass sie nicht erneut ungebetenen Besuch bekamen. Von innen konnten sie die Konstruktion mit schweren Eisenketten und einem großen angerosteten Schloss sichern und so sicher sein, dass außer ihnen keiner unbefugt die Insel betrat. Nach diesen Vorkehrungen begannen sie mit vereinten Kräften, ihre Ausrüstung in den Schacht zu bringen.

Die knarzenden Geräusche des Schlosses waren Jitha unheimlich. Sie blieb noch eine Weile vor der verschlossenen Luke sitzen und versuchte, ihre Ängste im Zaum zu halten. Zumindest war sie sicher, solange der Schlüssel nicht in die Hände der betrunkenen Bande geriet.

Than und sein Vater erreichten die unbewohnte Insel gegenüber der großen Siedlung schneller als gedacht. Auch der Aufstieg war für Vohn dank der mitgebrachten Strickleiter kein Problem.

Vohn war überwältigt von dem Anblick der bewohnten Insel. Sie schien nur einen Steinwurf entfernt und trotz des vom Fluss aufsteigenden Dunstes gut zu erkennen. Ihm blieb jedoch nicht viel Zeit zum Staunen. Sie mussten so schnell wie möglich auf sich aufmerksam machen und Kontakt zu den Bewohnern aufnehmen. Mit vereinten Kräften sammelten sie möglichst trockenes Holz. Das Feuer wollten sie am steilen Abhang der Insel machen, genau dort, wo Than bei seinem letzten Besuch die verblichenen Menschenknochen gefunden hatte.

Gegenüber schien sie noch niemand bemerkt zu haben. Immer wieder versuchten sie, einzelne Menschen zu erkennen, aber von ihrem Standpunkt aus sah es so aus, als ob in diesem Teil der besiedelten Insel nur Acker und Weideland wäre.

Nachdem sie alles lose Holz, was sie in der näheren Umgebung finden konnten, eng aufeinandergestapelt hatten, nahm Vohn einen seiner Feuersteine und etwas getrocknetes Gras und versuchte, den hohen Stapel zu entflammen. Die ständig vom Fluss aufsteigende Feuchte machte es ihnen zunächst schwer, das Feuer in Gang zu bekommen. Ein plötzlich aufkommender Windstoß griff wie von unsichtbarer Hand in den Holzstapel und gab so den spärlich zündelnden ersten Flammen so viel Sauerstoff, dass ihr Feuer plötzlich lichterloh brannte.

„Schnell, Than. Leg jetzt etwas frischeres Holz nach. Unsere Nachbarn müssen Rauch sehen."

Than tat, wie ihm aufgetragen. Dann setzten sie sich in gebührendem Abstand vom Feuer an die Klippe und schauten, ob sich auf der Nachbarinsel etwas regte. Lange mussten sie nicht warten. Ein Junge war der Erste, den sie zu Gesicht bekamen. Than und Vohn wedelten mit zwei mitgebrachten farbigen Tüchern in der Luft, um auf sich aufmerksam zu machen. Der Junge starrte kurz zu ihnen herüber und winkte dann wild zurück. Er machte aufgeregte Zeichen und rief irgendetwas, aber seine Worte wurden von den Geräuschen des Flusses übertönt. Er drehte sich um und lief zur Siedlung.

Vohn zog Than an sich und drückte ihn fest. „Junge. Das hätte ich nie für möglich gehalten. Wir sind nicht alleine. Hier wohnt unser Volk."

Auch in Than machte sich Erleichterung breit, und er sah schon aus der Ferne, wie eine große Gruppe Menschen aus der Siedlung heraus in ihre Richtung eilten. Es waren sicher zwanzig Menschen. Große und kleine, junge und ältere, und Vohn meinte aus der Entfernung sogar, das ein oder andere entfernt bekannte Gesicht zu erkennen. Alle standen dort, winkten und riefen, aber Than und Vohn konnten nur zurückwinken, eine andere Verständigung war nicht möglich.

Ein Teil der Truppe beratschlagte sich und eilte dann in die Siedlung zurück. Die anderen versuchten, ihnen etwas zu erklären. Sie machten Wurfbewegungen und wilde Gesten. Nach einer Weile tauchte der Rest der Truppe wieder auf und zog hinter sich große Holzkonstruktionen auf Rollen hinterher. Ihnen hatten sich ein paar neue Gesichter angeschlossen, die jetzt ihrerseits auch in freudiges Winken einstimmten. Dann machte sich die Gruppe gemeinsam daran, die Holzgestelle an den Rand der Klippe zu schieben und dahinter lange Seile in geraden Linien auszubreiten.

„Du, Than, die bauen einen Seilzug! Das ist unglaublich."

Than, der so etwas noch nie gesehen hatte, starrte seinen Vater verständnislos an. „Was machen die?"

„Sie binden gleich Steine an die Enden der Seile und versuchen, die zu uns zu schleudern."

Und schon bekamen sie von gegenüber Zeichen, dass sie sich in den dahinterliegenden Wald zurückziehen sollten. Dann hörten sie ein Zischen und kurz nacheinander mehrere dumpfe Erschütterungen, wie vom Aufprall schwerer Steine.

„Wahnsinn, die scheinen aber genau getroffen zu haben. Schnell wieder hin."

Sie eilten zurück an die Felskante. Dort lagen sie: drei lange Taue, an den Enden beschwert durch große Steine, die jetzt beide Inseln miteinander verbanden.

Nachdem sie das dritte Tau an einer stabilen Tanne befestigt hatten, schaute Than Vohn fragend an. „Und was machen wir jetzt? So richtig kann ich mir noch nicht vorstellen, wie wir an diesen Seilen auf die andere Seite gelangen können."

„Musst du auch nicht, schau!" Vohn wies auf die Nachbarinsel, und Than sah, wie ein paar Männer einen kleinen offenen Wagen auf zweien der Seile befestigten und einstiegen. Sie hatten die Seile auf ihrer Seite um schwere Felsbrocken geschlungen und zogen sich an dem dritten Seil, das etwas höher befestigt war, mit den Armen über den Fluss.

Than beobachtete zuerst nur die Männer, die mit vereinten Kräften den Wagen über die Konstruktion zogen. Dann schaute er zu seinem Vater, der seltsam still geworden war. Mit offenem Mund stand er neben ihm und beobachtete die näher kommenden Männer.

„Ich kenne sie. Das ist Hunn, und der daneben, vorne, das ist Tom." Begeistert rannte er ihnen entgegen und rief immer wieder: „Ich glaube es nicht. Es kann nicht sein. Ihr lebt?!"

Jetzt waren sie vollständig auf der Insel, und die Gruppe stieg schnell aus ihrem Wagen. Kopfschüttelnd und erleichtert lagen sie sich in den Armen.

„Ihr seid es? Was macht ihr hier? Wie konntet ihr euch retten?"

Vohn bestürmte seine alten Kameraden mit Fragen, und auch sie konnten ihr Wiedersehen kaum glauben. Mit viel Schwung drückten sie Than an sich, so dass ihm das eine ums andere Mal die Luft wegblieb und ihn ein erstickendes Husten überkam.

„Junge … Junge. Du hast einen Jungen?! Dein Junge, Vohn?"

„Ihr müsst uns alles erzählen. Kommt mit rüber."

„Das geht leider nicht." Plötzlich wurde Vohn ernst. „Jitha ist alleine auf unserer Insel."

„Jitha? Jitha lebt? Oh, ein Glück. Aber wie kommt ihr

überhaupt hierher? Wo lebt ihr, und warum sehen wir euch erst jetzt?" Einer der Männer, Than meinte, sein Vater hätte ihn mit „Tom" angesprochen, übernahm das Wort.

„Than, mein Sohn, hat auf unserer Insel den Einstieg in ein altes Tunnelsystem entdeckt. Es ist mit einigen der Inseln verbunden."

Die anderen starrten ihn ungläubig an. „Was sagst du? Wie kann das sein?"

„Es müssen alte Bergwerksstollen sein, die unsere Vorfahren in den Berg gehauen haben, um Erze abzubauen. Von uns aus können wir auf einige wenige weitere Inseln gelangen, so wie auf diese. Aber einen Aufgang zu euch haben wir nicht finden können."

„Deswegen das Feuer?"

„Ja, wir wollten auf uns aufmerksam machen. Und das hat ja besser geklappt, als ich zu hoffen gewagt habe", bemerkte Vohn grinsend. „Auf einer der kleineren Inseln wohnt eine Gruppe Männer. Sie sehen ziemlich verwahrlost aus, und es ist ein Junge dabei", fuhr er fort und machte dann eine kleine Pause.

Than ergriff die Gelegenheit und übernahm die Erzählungen. „Der Junge ist mir bei einem meiner Erkundungsgänge in den Schächten begegnet, er schien ziemlich wild und ausgehungert und ist vor mir geflohen. Ich bin nach Hause zurückgelaufen und habe alles meinen Eltern erzählt. Am nächsten Tag sind wir zu zweit aufgebrochen", dabei zeigte Than mit dem Daumen auf seinen Vater, der jetzt den Arm um ihn legte, „und dann sind wir dem Aufstieg gefolgt, durch den der Junge am Tag zuvor geflohen war."

„Auf der Insel gab es kaum etwas. Abgebrannte Flächen, verwahrloste Wälder und eine große Höhle mit einem Vorplatz. Dort beobachteten wir eine Gruppe sturzbetrunkener Männer, die grölten und soffen, bis sie umfielen", nahm Vohn den Faden wieder auf.

„Und auch der Junge war dabei. Um sie herum haben wir einiges entdeckt, das uns bekannt vorkam. Krüge, in denen wir Schnäpse lagerten, Lebensmittel und noch ein paar andere Schätze. Als wir wieder zurückkamen, erfuhren wir von meiner Mutter, dass ihr gleich nach unserem Aufbruch aufgefallen war, dass unsere Vorratskammern um einiges geplündert worden waren."

Tom und die anderen guckten Vohn fragend an. „Und du kanntest die Männer nicht?"

„Nein, keinen Einzigen von ihnen. Sie waren dick und träge und hatten zerzauste Haare und trugen Bart, aber selbst ohne, ich bin mir ziemlich sicher, dass die Bewohner der Insel keine Ihmada sind."

„Alte Händler vielleicht, die auch von den Fluten getroffen wurden?"

Vohn zuckte mit den Schultern. „Vielleicht. Oder

Wilderer? Sie wirkten so, als ob sie von der Hand in den Mund lebten und keine Kenntnisse von Landwirtschaft und anderen nützlichen Dingen hätten."

„Kommt mit zu uns", drängte Vohn. „Ich will Jitha nicht so lange alleine in dieser Situation lassen."

Plötzlich lag ihre Gruppe im Schatten. Etwas Großes war direkt über ihnen in der Luft. In der Wiedersehensfreude hatten sie völlig vergessen, ab und zu nach herannahenden Follots zu schauen. Jetzt kreisten zwei ausgewachsene Tiere in einiger Höhe über ihnen. Sie schienen unsicher und kamen nicht näher. Aus ihrer sicheren Position beobachteten sie die Männer und gaben warnende Krächzlaute von sich. Than und Vonn sahen sich gleichzeitig schutzsuchend nach dichtem Gestrüpp um, in dem sie sich verstecken konnten. Aber die Menschen von der Nachbarinsel blieben ruhig.

„Die tun nichts!", versicherte Tom ihnen. „Die feigen Dinger kommen nicht mal näher!"

Than erinnerte sich an Situationen in den letzten Jahren, in denen er oder seine Eltern auf ihrer Insel von einem Follot aus dem Hinterhalt angegriffen wurden und im letzten Augenblick das Haus oder ein schützendes Dickicht erreichten. Er blickte seinen Vater überrascht an. Der schüttelte nur fast unmerklich den Kopf. Ein Signal, das Than verstand. Er sollte das Thema nicht weiter vertiefen.

## 9 Der Überfall

Nur Hunn und Tom kamen mit auf ihre Insel. Beide staunten nicht schlecht über das gut ausgebaute Schachtsystem. Trotzdem eilten sie schnell vorwärts, denn die engen Wände und auch die lauten Geräusche des Flusses wirkten beklemmend.

Sie waren schon kurz vor ihrem Aufstieg nach Hause, als plötzlich ein großer schwarzer Schatten aus einem der kleinen Nebengänge sprang. Er umklammerte Vohns Hals und würgte ihn mit aller Kraft. Vohn ließ vor Schreck die Lampe fallen und griff mit beiden Händen nach den Armen, die ihn umklammert hielten. Nach einer Schrecksekunde eilten ihm die anderen zu Hilfe und versuchten, den Angreifer von ihm zu lösen.

Aber der zog ein Messer und hielt es Vohn an sein rechtes Auge. „Vorräte her! Alles!", rief er ihnen zu. „Schnell, sonst ist das Auge weg."

Than, der eine der großen Taschen trug, warf sie auf den Boden und kramte Brot und Käse daraus hervor.

„Mehr", grollte der Mann.

Dann griff Than an die Tasche seines Vaters und tastete

nach etwas Essbarem. Alles, was er darin fand, legte er dem Mann hin.

„Nicht dahin. Leg alles in deine Tasche und dann da hin." Er zeigte ein Stück den Tunnel runter in die Richtung, aus der sie gekommen waren.

„Idiot, wir müssen zusammenhalten", presste Vohn ungewohnt ärgerlich hervor. „Lass das mit dem Messer, wir müssen uns zusammentun, dann können wir uns vielleicht helfen."

„Scheißegal", brüllte der Mann. „Besorgt mir Alkohol", war sein nächster herrischer Wunsch. „Los!"

Than war irritiert, aber nach einem Nicken seines Vaters lief er los und kletterte in Windeseile die Tunnelwand zu ihrer Insel hoch. Oben war die Tür verschlossen, und er war froh, dass er sich den Schlüssel um den Hals gehängt hatte und dieser nicht in der Tasche lag. Ungeschickt versuchte er im Dunkeln, das Schloss zu öffnen, und brauchte dafür eine halbe Ewigkeit. Dann schoss er aus der Luke und rannte so schnell er konnte nach Hause. Seine Mutter sah ihm sofort an, dass etwas passiert sein musste. Schnell nahm sie einige Krüge aus dem Vorratsraum und drückte sie ihm in die Hand.

Wieder zurück, hatte Than das Gefühl, in dem Tunnel war die Zeit stehengeblieben. Noch immer hatte der Mann seinen Vater im Schwitzkasten, und das dreckige Messer hatte er mit der Klinge voran genau vor Vohns Augapfel platziert. Tom und Hunn standen mit etwas Abstand daneben und beobachteten den Fremden misstrauisch. Nur sah Than jetzt, dass hinter dem Mann in dem schmalen Nebengang der Junge im Schatten stand, halb verdeckt in einer Biegung und für die anderen nicht sichtbar.

Der Fremde wies Than an, die Krüge neben seine Tasche in den Gang zu stellen. Than tat, wie ihm geheißen, und dann schubste der Mann seinen Vater vor sich in die gleiche Richtung. Noch einmal versuchte Vohn, den Mann mit Worten zur Vernunft zu bringen und zu überzeugen, mit ihnen gemeinsame Sache zu machen. Aber dieser war von den Worten seines Vaters unbeeindruckt. Und auch Hunn und Tom, die einen Vorstoß wagten, wurden harsch zum Schweigen gebracht.

„Junge, nimm die Sachen und lauf", rief er in den Nebengang, und schon schoss der Kleine heraus und griff nach den Vorräten.

„Ihr bleibt alle drei hier, und ihn hier nehme ich erst mal mit." Vohn wurde an ihnen vorbeigedrückt und von ihnen wegbugsiert. „Wenn einer von euch uns folgt, dann ist der hier tot", drohte er und fuchtelte wild mit dem Messer vor Vohns Gesicht.

Sie verschwanden den Gang ins Dunkel und zurück blieben die drei Übrigen im Licht der zweiten Laterne.

„Kanntet ihr den Mann?", fand Than als Erster die Sprache wieder. Seine Stimme zitterte.

„Er kam mir bekannt vor. Aber nur entfernt. Ich tippe auf einen der Wilderer, die sich früher auf unserem Land herumtrieben und von der Flut überrascht wurden", Hunn bemühte sich, sachlich zu bleiben. Aber auch ihm stand der Schreck deutlich ins Gesicht geschrieben.

Ein neues Geräusch aus dem dunklen Tunnel vor ihnen ließ sie ihre Köpfe in die Richtung drehen, in die Vohn kurz zuvor verschwunden war. Es waren Schritte, die schnell lauter wurden. Und da kam Vohn auch schon unsicher durch den Gang gestolpert. Than sah gleich die große blutige Schramme, die quer über seine rechte Gesichtshälfte verlief. Die Hände waren vor seinem Körper zusammengebunden, mit einem abgerissenen Lederriemen, den Than unschwer als den Tragegurt seiner Tasche erkennen konnte.

„Ich konnte mich befreien. Lasst uns verschwinden!", zischte Vohn und drehte sich noch einmal in den Gang, um zu horchen, ob seine Entführer ihm auf den Fersen waren. Aber außer den Geräuschen, die sie selber machten, war nichts zu hören. Than trat näher an ihn heran und betrachtete die gefesselten Hände genauer.

„Helft mir, schnell!", forderte er die anderen beiden auf. Geschickt entknoteten sie die Fesseln.

„Ich glaube wirklich, das ist einer der Wilderer, die sich früher in unserer Gegend herumtrieben. Mit denen war nie zu spaßen, und bevor die angefangen haben zu denken, hatten die schon ihr Messer gezückt", erklärte

Hunn mit belegter Stimme. Aber der Schock war ihm deutlich anzumerken.

„Schnell, lasst uns zurück auf unsere Insel und beratschlagen, was wir als Nächstes tun sollten."

Die Luke stand noch offen, da er zuvor, bepackt wie er war, keine Möglichkeit hatte, sie wieder zu schließen. Draußen war es noch hell, aber die Abenddämmerung hatte bereits eingesetzt.

Jitha erwartete sie ungeduldig und schloss ihren Mann überglücklich in die Arme. „Diese Verbrecher!", rief sie dabei immer wieder wütend und drückte Vohn fest an sich.

Und dann erst nahm sie Tom und Hunn wahr, die sich höflich etwas im Hintergrund gehalten hatten. „Ich glaube es nicht ..." Jetzt wurden die beiden von Thans Mutter wild umarmt, und beide nahmen sie nacheinander hoch und drehten sie um die eigene Achse.

Stunden später saßen sie satt vor dem warmen, flackernden Licht des Feuers. Auch der Schreck über Vohns kurze Entführung hatte sich nach einem ausgiebigen Essen gelegt und langsam entspannten sich die Gesichter der vier Männer. Jitha hatte sich an Vohn gelehnt und war überglücklich. Sie hatte nicht nur erfahren, dass ihre Freundin Hela noch lebte und mit Tom inzwischen ein Kind hatte, sondern auch einige weitere alte Freunde und Bekannte aus ihrer Dorfgemeinschaft noch am Leben waren.

Der Zufall wollte es, dass an dem Tag der großen Flut eine ganze Gruppe aus ihrem Dorf aufgebrochen war, um gemeinsam in den höher gelegenen Gebieten zu jagen und Zapfen von den Nadelhölzern zu pflücken, die zu dieser Jahreszeit ein besonderes Aroma hatten. Auf dem Gebiet gab es auch mehrere Forsthütten und Unterstände, da dies ein wildreicher Teil ihres Landes war. Hier, in den höher gelegenen Regionen, hatten die Tiere keine natürlichen Feinde, und so war es auch ein beliebtes Revier für die Jäger ihres Dorfes. Dieser Ausflug war ihr Glück. Sie hatten geplant, über Nacht zu bleiben und einige der Hütten zum Übernachten zu nutzen. Waffen, Vorräte, Werkzeug, Leitern, um auf die Bäume zu klettern, und Wagen hatten sie dabei. So wurden sie zwar von der Flut genauso überrascht wie Jitha und Vohn, waren aber nicht in unmittelbarer Gefahr, weil sie sich deutlich weiter oberhalb der Flutgrenze aufhielten. Sie konnten ihr Überleben sichern, denn Hirsche, Rehe, Wildschweine und Rebhühner gab es in der Gegend in Hülle und Fülle.

Alle wussten, die Zeit drängte und sie mussten gemeinsam nach einer Lösung suchen. Nicht nur der Überfall auf Vohn im Tunnelsystem hatte sie alle geschockt. Auch berichteten Hunn und Tom, dass es in ihrer Gemeinschaft einige Schwerkranke gab, deren einzige Hoffnung darin bestand, irgendwo einen guten Heiler zu finden.

Jitha bekam leuchtende Augen. Denn sie hatte damals, bevor die Flut kam, geheilt. Tagelang war sie im Gebirge im Osten herumgestreift, um Kräuter und Samen zu sammeln, die eine heilende Wirkung hatten. Außerdem kannte sie sich mit einigen Techniken aus, mit denen sie Schmerzen lindern konnte.

„Zwei haben es aber geschafft, zu uns zu schwimmen. Trotz der Wasserschlangen! Damals gab es noch nicht so viele, und beide hatten Glück", erzählte Hunn. „Auf der Insel, auf der wir uns vorhin getroffen haben, da waren drei von uns nach der Flut gelandet. Wir haben sie gleich am nächsten Tag entdeckt und uns verständigen können. Auf ihrer Insel war nichts außer Wald. Das Wild war bei der Katastrophe zu uns geflohen, und dort gab es nichts außer Bäumen."

„Der Dritte hatte schon vorher ein gebrochenes Bein, als ihn die Flut überraschte und ein Baum gegen sein Schienbein prallte. Er wusste, dass er keine Chance hatte zu schwimmen. Sie haben ihn an den Aussichtspunkt getragen, auf den kleinen Felsvorsprung gleich gegenüber unserer Insel, und dort konnte er sehen, wie die anderen das sichere Land erreichten. Wir hatten gleich begonnen, die Vorrichtungen zu bauen, mit denen wir zu euch rübergekommen sind. Doch als wir fertig waren, war er schon zu schwach, um aufzustehen und die Seile für uns zu befestigen. Er ist kurz vor seiner Rettung gestorben."

Alle waren betroffen.

„Ich will das Tunnelsystem erkunden. Vielleicht gibt es

dort noch etwas, das uns weiterhilft. Andere Inseln, andere Menschen. Wenn wir uns gefunden haben, wer weiß, was wir dann noch alles finden können. Ich bin jung und kann schnell die einzelnen Schächte hoch- und runterklettern, ohne dass ich viel Ausrüstung brauche", begann Than zu planen.

Aber Vohn und Jitha schüttelten den Kopf. „Than, wer weiß, was dich dort unten erwartet. Der Überfall heute war eine Warnung. Wer weiß, wer außer den Wilderern noch dort unten herumschleicht."

Than wollte gerade etwas erwidern, da ergriff Tom das Wort: „Lasst Than gehen. Ich glaube, er hat recht. Nur die jungen Leute sind so behände und gelenkig und können die Gänge erkunden. Hela und ich haben einen Sohn, der ungefähr in seinem Alter ist. Ich rede mit Hela und ihm, und sie können gemeinsam gehen."

Jitha und Vohn war nicht wohl bei dem Gedanken, aber sie wussten, dass sie Than nicht aufhalten konnten, selbst wenn sie wollten. Ihm war es zu verdanken, dass sie einen Teil ihrer alten Freunde wiedergefunden hatten. Er hatte den Willen, sich ein freies Leben zu erkämpfen, und innerlich waren sie stolz darauf, dass er so fühlte, denn das machte ihn zu einem echten Ihmada.

Und dann war da noch das Problem mit der Gruppe der mutmaßlichen Wilderer. Schon der nächste Gang durch die Tunnel barg neue Gefahren, für die sie schnell eine Lösung brauchten.

Als Erstes statteten sie sich mit scharfen Messern aus, die Vohn im Laufe der Jahre an langen Winterabenden gefertigt hatte. Than war zwar nicht wohl bei dem Gedanken, die scharfe Klinge gegen jemanden zu richten, aber mit einem Blick auf die tiefe Schramme im Gesicht seines Vaters wusste er, dass die Wilderer ihrerseits kein Erbarmen haben würden.

Ihre größte Hoffnung war, dass sich die Männer wie am Tag zuvor wieder an Alkohol so betrunken hatten, dass sie kampfunfähig ihren Rausch ausschlafen würden. Und die Chancen standen nicht schlecht. Vohn bastelte aus langen, stabilen Ästen noch zwei Speere, indem er vorne jeweils ein Messer fest um das Holz band. So konnten sie notfalls die Männer auf Abstand halten.

Than ging als Späher voraus. Der Tunnel war frei von Fremden. Dann kletterte er den Schacht zur Insel der Wilderer hoch. Schon von Weitem hörte er lautes Grölen und Lallen. „Die Luft ist rein", rief er den anderen zu, als er wieder unter ihrer Insel war.

Jitha drückte sie alle vor ihrem Abstieg und blieb mit einem mulmigen Gefühl vor der Luke sitzen, nachdem sie von innen verschlossen worden war. Sie hörte von außen gedämpft, wie einer nach dem anderen in den Tunnel hinabstieg. Als die letzten Geräusche verklungen waren, machte sie sich auf den Heimweg. Auf sie wartete viel Arbeit, weil sie Vohn jetzt schon wieder entbehren musste. „Bitte, bitte habt Erfolg und kommt heil wieder", flüsterte sie zum Abschied in Richtig Luke und ging dann den steilen Pfad zum Haus hinab.

Die vier Männer hatten unterdessen schon fast den Aufstieg zur Wildererinsel erreicht. Obwohl sie von Than wussten, dass die Männer dort oben wieder zu sehr dem Alkohol zugesprochen hatten, redeten sie leise und hielten wachsam Ausschau, ob sich in ihrer Umgebung etwas Ungewöhnliches tat.

„Than, steig hoch und kontrolliere nochmal, ob wirklich alle auf der Insel sind", bat sein Vater.

Als Than fertig war und ihnen einen detaillierten Bericht über den alkoholisierten Zustand und das Geschwätz der Männer berichtet hatte, begannen sie, aus einem der größeren Seitenschächte Balken zu lösen, die dort offensichtlich in früheren Zeiten angebracht wurden, um die Decke zu stützen. Hunn maß die Schachtöffnung zur Wildererinsel nach. Schnell brach er noch ein paar kurze Bretter aus dem kleinen Gang und zimmerte daraus mit vorsichtigen Schlägen einen Deckel. Als er fertig war, hielt er den schweren Deckel gegen die Öffnung, sie wurde von ihm gut abgedeckt. Jetzt stapelten sie die dicken Holzbohlen übereinander, bis diese eine hohe und breite Säule bildeten und den Deckel von unten fest gegen die Schachtöffnung drückten.

Vohn nahm ein gefaltetes Stück Papier, auf dem sie in der Nacht eine Botschaft an die Männer verfasst hatten. Er übergab ihn Than mit einem Stein zum Beschweren des Briefes. „Junge, leg den Brief neben die Luke. Wenn die wieder nüchtern sind und unsere Botschaft lesen, dann können wir sie vielleicht dafür gewinnen, sich uns anzuschließen. Es müssen ja nicht alle dort so übel drauf sein wie unser Überraschungsgast im Tunnel."

Than erledigte seinen Auftrag, und sie zogen weiter durch die Gänge. Nach kurzer Zeit erreichten sie den Aufstieg zur kleinen Insel. Kein Follot war zu sehen. Erleichtert stellten sie fest, dass ihre Konstruktion noch so befestigt war, wie sie sie verlassen hatten. Diesmal bekamen sie mit vereinten Kräften schneller ein Feuer in Gang. Bevor Than noch richtig wusste, wie ihm geschah, wurden sie von drei Männern auf die Insel gebracht.

Eine Frau wartete. Die Erleichterung stand ihr ins Gesicht geschrieben. „Tom!", rief sie und warf sich in seine Arme. Dann schaute sie auf. „Vohn!" Schon löste sie sich von ihrem Mann und drückte Vohn an sich. „Und du bist der Sohn?", begrüßte sie strahlend Than, der schon vorsichtshalber einen Schritt zurückgemacht hatte, um der Umarmung zu entgehen. Aber da hatte er nicht mit ihrer herzlichen Art gerechnet. Auch er wurde umarmt. „Ich bin Hela. Ich freu mich so. Du musst unbedingt unseren Jungen kennenlernen, er sieht in etwa so alt aus wie du."

So höflich er konnte, wand sich Than aus ihren Armen, und sie gingen alle gemeinsam in intensive Gespräche vertieft den ausgetretenen Pfad entlang zu einer kleinen Siedlung.

In der Mitte des kleinen Dorfes erkannte man noch genau die größere Jagdhütte, die schon vor der Flut dort gestanden hatte. Drum herum hatten die Bewohner nach und nach weitere kleine Hütten gebaut. Nur hatten diese keine Fensterscheiben, sondern einfach nur offene Ausschnitte in den Wänden, die durch stabile Fensterläden geschlossen werden konnten. Überall zwischen den einzelnen Gebäuden liefen Fasane und pickten eifrig den einen oder anderen der schillernd blauen Käfer vom Boden.

Alle Bewohner kamen aus ihren Häusern und den umliegenden Feldern in der Mitte der Siedlung zusammen. Neugierig beäugten sie Than, den sie nie zuvor gesehen hatten. Aber bei Vohns Anblick brachen viele in erstaunte Rufe aus.

„Du bist es wirklich? ... Grundgütiger! ... Ein Wunder!"

Auch Vohn erkannte viele der Bewohner wieder. Nicht alle sofort, denn seit ihrer letzten Begegnung war einige Zeit vergangen, und die veränderten Lebensbedingungen hatten seine alten Bekannten teilweise stark verändert. Tom ergriff das Wort. Am Abend sollte es dann in der Jägerhütte eine Versammlung geben.

Than suchte mit den Augen schon die Menschen auf dem Platz ab, aber unter ihnen war keiner, der nur annähernd in seinem Alter war. Zwei kleine blonde Mädchen hielten sich an den Händen und kicherten aufgeregt, einige Männer standen am Rand und beobachteten mit bewusst uninteressiertem Gesichtsausdruck das Geschehen.

Er wurde nervös. So viele Menschen hatte er noch nie gesehen. Und irgendwie hatte er das Gefühl, dass ihn viele anstarrten. Langsam begann er, die Menschen zu zählen. Eins, zwei, drei ... Als er bei 63 angekommen war, hatte er noch lange nicht alle gezählt. Dafür hatte er sich beruhigt.

Jemand tippte ihm auf die Schulter. Er drehte sich um. Tom stand hinter ihm und nickte in Richtung einer der Hütten. „Komm, lass uns zu uns gehen. Dann lernst du Eno kennen."

## 10 Die Wilderer

Than folgte den anderen zu Helas und Toms Hütte. Es tat ihm gut, aus der Menschenmenge herauszukommen.

Die Hütte war grob gezimmert, die Außenwände bestanden aus dicken Nadelholzstämmen, von denen die Äste nur grob abgeschlagen waren. Trotzdem sah sie von außen gemütlich aus. Auf dem Dach, das mit Schindeln aus Baumrinde bedeckt war, ragte ein kleiner Schornstein hervor, aus dem sich kleine Rauchwölkchen in den Abendhimmel kräuselten. Trotz der angenehmen Temperaturen brannten scheinbar auch auf dieser Insel die Feuer in den Häusern rund um die Uhr.

Hela öffnete die Tür und rief ihren Sohn. Than kippte fast rückwärts aus der Hütte. Plötzlich stand ein Junge vor ihm, wie aus dem Nichts. Eine genaue Kopie von Tom. Nur jünger.

Der Junge baute sich grinsend vor ihm auf. „Ach, die Einsiedler."

Hela schob ihren Sohn mit etwas Körpereinsatz Richtung Than. „Eno, das ist Than. Than, das ist unser Sohn Eno", stellte sie beide einander vor.

Than schaute verunsichert zu Boden und schien erstarrt

zu sein.

Sein Vater legte ihm den Arm um die Schultern und zog ihn freundschaftlich an sich. „Eno, das ist mein Junge und ich bin Vohn", brummte er in Richtung Eno.

Der reagierte jetzt höflich: „Hallo, Than." Er streckte ihm seine rechte Hand entgegen.

Than trat unruhig von einem Fuß auf den anderen. Dann kam auch ihm ein „Hallo" über die Lippen, und er griff unsicher nach Enos ausgestreckter Hand.

Eno drückte fester zu, als er eigentlich musste, und grinste Than selbstbewusst an. „Wie gefällt dir unsere Insel, Einsiedler?"

Than zuckte mit den Schultern.

„Wir haben kaum etwas gesehen", übernahm Vohn die Antwort. „Vielleicht zeigt ihr uns ja morgen euren Flecken Erde."

In dieser Nacht machte Than kein Auge zu. Und das lag nicht an der ungewohnten Gesellschaft. Sie hatten bei Hela und Tom einen eigenen kleinen Raum bekommen. Er wusste, dass es nicht selbstverständlich war, auf dieser Insel so große Häuser mit mehreren Zimmern zu haben. Tom musste hier etwas zu sagen haben. Trotzdem fühlte er sich so unwohl, dass er keinen Schlaf finden konnte. Neben sich auf den Strohmatten hörte er seinen Vater schwer, aber regelmäßig atmen. Er schien tief und fest zu schlafen und sich nicht von den Ereignissen des Tages wach halten zu lassen.

Noch nie hatte er einen Gleichaltrigen gesehen, noch nie zuvor hatte er überhaupt so viele andere Menschen auf einmal erlebt. Er war verwirrt durch die Begegnung. Die Mädchen, die anderen auf dem Dorfplatz, die Gesichter waren im Dämmerlicht eher unscharf und gingen in der Menge unter. Aber in der Hütte, im Licht des Feuers, das aus dem geräumigen Wohnraum kam, stand er zum ersten Mal bewusst vor jemandem, der so war wie er. Obwohl er keine Vergleiche zu anderen Menschen außer seinen Eltern hatte, störte ihn irgendetwas an Eno.

Seine Gedanken flatterten in seinem Kopf ziellos umher wie ein Schwarm Vögel im ersten Augenblick, nachdem man sie aufgeschreckt hatte. Erst Stunden später gelang es ihm, innerlich wieder ein bisschen Ordnung für sich herzustellen. Er war froh, als er das erste Dämmerlicht durch das Fenster sah und wusste, dass die Nacht bald vorbei war.

„Guck mal", sagte Than sicher zum zwanzigsten Mal und stieß seinen Vater staunend an.

Der Rundgang über die Insel am nächsten Morgen mit Eno und Tom nahm sie mit in eine andere Welt. Eine Welt, die Than nur aus Erzählungen kannte. Weites Land, eine Gemeinschaft. Eine Insel wie ein kleiner Kontinent. Sie gingen zuerst an den Steilklippen im Süden der Insel entlang. Dort fiel der Felsen schroff in die Tiefe. Trotzdem klatschte die Gischt so mächtig gegen das gigantische Hindernis, dass auch ihnen ein paar Wassertropfen ins Gesicht sprühten. Alles war umzäunt, und auf den Wiesen grasten Pferde, Kühe und Schafe friedlich nebeneinander.

Dann gingen sie weiter zum westlichen Zipfel. Im dichten Wald meinte Than, eine kleine Hütte zwischen einigen Bäumen zu erahnen. Mit viel Phantasie konnte er sogar den leichten weißlichen Rauch erkennen, der sich aus dem Schornstein zum Himmel emporkräuselte. Es war eindeutig ein Haus. Es lag direkt am anderen Ende der Siedlung, so als ob der Bewohner versucht hätte, den größtmöglichen Abstand zwischen sich und die Gemeinschaft zu bringen, der auf der Insel möglich war. Er stutzte nur eine Sekunde. Schon spürte er Toms Hand auf der Schulter, die ihn sanft, aber bestimmt in eine andere Richtung drehte und ihn vorwärtsschob.

„Guck mal, Vohn, das sind unsere besten Pferde." Tom zeigte Vohn ein Stück Weideland, das im Norden lag.

Und tatsächlich. Hier grasten auf einer Koppel noch einmal bestimmt zehn gut gebaute, starke Tiere. Than drehte sich kurz mit zu den Pferden und vergaß darüber fast, was er zuvor gesehen hatte.

„Than, kannst du reiten?" Tom sprach ihn an und ging zu der Pferdekoppel.

Einige der dunklen Tiere hielten inne und kamen gemächlich auf sie zu. Das Erste steckte neugierig seine weiche Schnauze durch den Zaun und schnaubte Than an.

„Wir haben nur Kühe und Schafe", antwortete Vohn.

„Du musst es unbedingt lernen, Eno ist einer unserer besten Reiter und bringt es dir sicher gerne bei."

Than verzog bei der Erwähnung von Eno wenig begeistert das Gesicht.

Sie standen eine Weile am Zaun und schauten den Pferden zu, die ihre Neugier schnell befriedigt hatten und in ihrer Nähe ruhig grasten.

„Tom, ich hätte es gerne, dass wir mit allen gemeinsam auf der Insel reden", sagte Vohn.

„Warum?"

„Wir müssen überlegen, was zu tun ist. Wir müssen gucken, ob wir uns retten können."

„Aber dafür brauchen wir doch nicht alle!"

„Doch. Ich will wissen, wer von uns noch lebt. Außerdem hat jeder von denen, die vor der Flut lebten, etwas Wissen über die Odonen."

„Das stimmt, aber das weiß ich auch alles. Ich bin ihr Anführer. Es reicht, wenn wir das gemeinsam planen."

„Und Hunn?"

„Ich weiß nicht."

„Aber Hunn gehört dazu, er ist unser Freund."

„Lass mich darüber nachdenken." Tom drehte sich vom Zaun weg.

Auf dem Weg zur Siedlung zurück blieb Than etwas hinter ihnen. Er trödelte absichtlich und warf ab und zu einen Blick über die Schulter zurück zum westlichen Ende der Insel. Jetzt konnte er das kleine Häuschen, das versteckt im Wald lag, nicht mal mehr erahnen. Fast glaubte er schon, er hätte sich getäuscht oder es wäre nur eine Scheune, die im Stil der Häuser der Siedlung gebaut und so auf die Entfernung leicht mit ihnen zu verwechseln war.

Als ihr Weg schon an den ersten Häusern der Gemeinschaft in den Dorfkern führte, hörte er links von sich, wie ihn jemand leise ansprach. Er drehte sich zur Seite und versuchte zu orten, woher das Geräusch kam.

Und da stand ein Mädchen, mit pechschwarzen, langen Haaren. „Hey, warte kurz", flüsterte sie ihm zu.

Sein Vater und Tom schienen Than vergessen zu haben, sie gingen ohne sich umzuschauen weiter in Richtung Toms Hütte. Than zögerte. Aber das Mädchen machte keine Anstalten, auf ihn zuzugehen. Also ging er ihr entgegen und verschwand so aus dem Blickfeld seiner Begleiter.

„Meinst du mich?"

„Ja, klar. Sonst noch jemand hier?", kicherte sie leise.

Verlegen begutachtete Than das Gras.

„Ach, entschuldige, ich bin Mina", jetzt streckte sie ihm die Hand entgegen.

Er ging noch einen Schritt auf sie zu und griff danach. „Hallo, ich bin Than."

„Ich weiß."

„Ja, echt?"

„Na klar, jeder hier weiß, dass du und dein Vater hier sind. Spätestens seit gestern, als ihr auf dem Dorfplatz gewesen seid."

„Ach, und du, warst du auch da?" Than kramte fieberhaft in seinem Gedächtnis und versuchte sich daran zu erinnern, ob er ihr Gesicht dort oder bei ihrer Ankunft auf der Insel gesehen hatte. Aber er konnte sich nicht recht erinnern. Er war so aufgeregt wegen der vielen neuen Gesichter.

„Nein, ich war nicht da. Ich habe meine Tante besucht."

„Deine Tante?"

Mina nickte.

„Na, weit weg kann sie ja nicht wohnen." Than grinste.

Langsam fand er Gefallen daran, mit Mina zu sprechen, und wurde neugierig.

„Warum versteckst du dich hier?"

„Ich verstecke mich nicht." Mina tat empört. „Ich möchte nur nicht gesehen werden."

„Ach, ist das nicht das Gleiche?"

„Nein."

„Alles klar, und von wem willst du nicht gesehen werden?"

„Von dem Freund deines Vaters. Tom."

„Warum? Magst du ihn nicht?"

Mina lehnte sich an die Wand des Hauses, hinter dem sie sich vor seinen Begleitern versteckt hatte, und rutschte mit dem Rücken langsam daran herunter, bis sie im Gras saß. Einladend klopfte sie mit der Hand rechts neben sich. Than verstand und setzte sich zu ihr.

„Meine Tante hat gesagt, ich soll deinen Vater warnen."

„Deine Tante?"

„Ja."

„Und wer ist deine Tante?"

„Das ist nicht so schnell zu erzählen. Sie muss deine

Eltern noch von früher kennen."

Than guckte sie fragend an.

„Sie lebt sehr zurückgezogen."

„Die Hütte am Westende."

„Du kennst sie?"

„Nein, aber vorhin haben wir einen Rundgang gemacht, und dabei meinte ich, an dem westlichen Zipfel ein kleines Häuschen im Wald versteckt zu sehen."

„Ja, genau." Mina freute sich offensichtlich, dass es Than aufgefallen war.

Ihm fiel wieder ein, wie schnell Tom sie beim Anblick des Wäldchens weggezogen hatte. So als ob er zuvor vergessen hatte, dass es dort etwas gab, was er verbergen wollte. Und erst in dem Augenblick, in dem er Than aufmerksam dorthin schauen sah, schien es ihm wieder einzufallen.

„Es gehört meiner Tante. Sie mag nicht, dass Tom das Sagen im Ort hat. Sie sagt, sie will so wenig wie möglich mit ihm zu tun haben. Sie waren mal zusammen."

Than guckte sie fragend an.

Mina musste losprusten. „Was, du weißt doch, was ich meine?"

Than guckte wie ein Schaf.

„ZUSAMMEN … Du weißt schon? ZUSAMMEN?"

Thans Blick war noch nicht viel schlauer.

„Oh, ich fass es nicht, wie alt bist du?"

„Siebzehn", antwortete Than wie aus der Pistole geschossen.

„Oh, Mann. Zusammen. Wie dein Vater und deine Mutter. Ein Paar."

„Ah, verstehe."

„Na endlich. Also, und sie sagt, Tom ist nicht koscher. Dein Vater darf nicht denken, dass er so ist, wie er ihn von früher in Erinnerung hat."

„Nicht?"

„Nein. Er soll aufpassen. Ihr sollt aufpassen und vorsichtig sein, sagt sie. Beobachtet die Follots. Das soll ich euch ausrichten."

„Than?" Than hörte seinen Vater von weiter weg rufen.

„Los, geh!" Mina schubste ihn an.

Than sprang auf und klopfte sich ein paar trockene Grashalme von seiner Kleidung.

„Than?"

Schnell sprang er zurück auf den Weg. „Oh, tut mir leid,

hier bin ich." Ohne ein Wort über seine unverhoffte Begegnung zu verlieren, gesellte er sich zu seinem Vater.

„Wir müssen gucken, was wir mit den Wilderern tun. Das ist jetzt das Wichtigste."

„Wenn du wüsstest ...", dachte Than und hatte dabei sofort das Bild von seinen überfluteten Markierungen vor sich.

Zurück in der Hütte spürte er spontan wieder diese Abneigung, als er Eno traf. Der saß im Wohnraum und schnitzte an einem Stück Holz.

„Eno, zeig Than unsere Siedlung", schickte Tom sie beide fort.

Voller Stolz stand Eno auf. Than schüttelte innerlich den Kopf. Es war doch offensichtlich, dass die beiden weggeschickt wurden, damit Tom und sein Vater reden konnten. Viel lieber hätte er bei ihnen gesessen und zugehört, was sie beratschlagten. Besonders, weil er doch derjenige war, der überhaupt erst die Verbindung entdeckt hatte. Und jetzt war er außen vor. Was für eine Enttäuschung. Unschlüssig schaute er zu den beiden Männern. Ihm fiel die Warnung von Mina ein.

Aber Eno zog ihn schon aus dem Haus an die frische Luft, plusterte sich etwas auf und begann einen Rundgang zwischen den Hütten. Er zeigte auf jede einzelne, begrüßte die Menschen, die davorsaßen, und machte sie mit Than bekannt. Thans Unruhe wuchs, als sie immer weiter zum Rand der Siedlung kamen. Würden sie Mina wiedersehen? Und würde sie sich zu erkennen geben? Und tatsächlich, sie kamen zu dem Haus. Mina hockte im Garten und zog Unkraut aus einem Beet.

„Hier wohnt Mina", erklärte Eno.

Mina stand langsam auf und kam auf beide zu.

„Hallo." Eindringlich blickte sie Than an. „Ich bin Mina. Und du?"

„Than."

„Hallo, Than." Sie lächelte. „Schön, dich kennenzulernen."

Eno zog ihn energisch weiter. Die freundliche Begrüßung der beiden schien ihm nicht zu passen. Als sie außer Hörweite waren, sagte er: „Mina ist süß. Aber sei vorsichtig."

„Warum?"

„Sie ist mit Vorsicht zu genießen. Wie ihre Tante. Außerdem kann man ihr nicht vertrauen. Sie klaut."

Than schaute Eno durchdringend an. Er musste später unbedingt seinen Vater fragen, ob er Minas Tante kannte und was es mit der Warnung auf sich hatte. Aber vorerst musste er Eno folgen und die Begrüßungsrunde durch die Siedlung weiter fortführen.

In der Nähe von Minas Zuhause wohnte noch ein Junge in ihrem Alter. Er hatte ein weiches, rundes Gesicht und strahlende Augen. Eno stellte ihn als Mok vor. Mok redete mit ihnen in einfachen Worten, aber freundlich. Than fand ihn auf Anhieb sympathisch. Eno behandelte Mok besonders arrogant. So als ob man Mok nicht für voll nehmen könnte.

Than merkte, wie sein Unbehagen Eno gegenüber immer weiter wuchs. Die Art, wie er die Begrüßung übernahm, wie er mit einigen der Dorfbewohner umging und wie er ihm selbst gegenüber war, gefiel ihm nicht. Später, als sie wieder in Enos Zuhause waren, fielen Than wieder Enos Worte zu Mina ein. Er tastete seine Kleidung ab. Und tatsächlich, seine linke Jackentasche, in der er sein scharfes Messer mit dem geschnitzten Griff aufbewahrte, war leer. Entgeistert zog er die Jacke aus und durchsuchte sie noch einmal gründlich. Aber das Messer blieb verschwunden. Auch in seiner Hose schaute er sicherheitshalber nach, obwohl er wusste, dass er es dort gespürt hatte. Danach durchsuchte er noch den Schlafraum, den sein Vater und er sich in der vergangenen Nacht geteilt hatten. Nichts. Das Messer blieb verschwunden.

Gleich am nächsten Morgen schlich er sich früh aus der Hütte. Er wollte Eno nicht glauben. Mina war keine Diebin. In der Morgendämmerung ging er den Weg aus der Siedlung hinaus, bis er an die Hütte kam, an der er am Tag zuvor mit ihr geredet hatte. Er konnte sogar noch die plattgedrückten Stellen im Gras sehen, wo sie mit dem Rücken an der Hauswand gesessen hatten. „Hier muss es mir aus der Jacke gefallen sein." Er durchsuchte systematisch das Gras. „Irgendwo muss das verdammte Messer doch sein." Aber so sehr er auch suchte, es blieb verschwunden.

Than blieb unschlüssig stehen. Sollte er bei Mina klopfen? Wohnte sie alleine? Eno war so beschäftigt, ihn von Mina wegzubekommen, dass er gar nicht erwähnt hatte, ob sie mit ihren Eltern dort wohnte. Aber was sollte das bringen? Um das Messer war es zwar schade, aber viel schwerer traf ihn, dass er sie sofort gemocht und sie ihn einfach beklaut hatte.

In Gedanken ging er zurück zu Toms Haus. Er hatte einen Stein im Magen und seine Gedanken kreisten immer weiter um Mina. Also hatte Eno recht. Mina war nicht zu trauen. Das hieß, auch die Warnung ihrer Tante konnte er getrost vergessen. Vielleicht hatte sie sich das nur ausgedacht. Warum sollte er einen Keil zwischen Tom und seinen Vater treiben? Jetzt, wo sein Vater endlich nach so langer Zeit seinen alten Freund wiedergefunden hatte.

Than war durcheinander. Er hätte darauf gewettet, dass Eno, dem aufgeblasenen Sohn von Tom nicht ganz zu trauen war. Er trat den anderen Dorfbewohnern gegenüber so selbstbewusst und abschätzig auf. Das hatte er beim gestrigen Rundgang mit eigenen Augen sehen können. Aber Tom? Den fand er sehr zuvorkommend.

In der Hütte war es noch ruhig. Er setzte sich in den Wohnraum. Kurz darauf standen auch Hela und Tom auf und gesellten sich zu ihm. Und auch sein Vater ließ nicht lange auf sich warten.

„Than, wir haben einen Plan."

Und so erklärte ihm Tom, wie sie mit seiner Hilfe die Wilderer auf ihrer Insel dauerhaft festsetzen wollten. Sein Vater schien das Vorgehen mitzutragen, aber nicht begeistert davon zu sein. Er schaute an ihm vorbei auf den Boden, so als ob er, wenn er Thans Blick mied, verbergen konnte, was er über das Vorhaben dachte.

„Und Eno wird dir helfen", schloss Tom. Thans anfängliches Interesse an der Sache nahm spontan ab.

„Aber es hört sich so an, als ob ich es alleine könnte."

„Ja, aber Eno soll auch den Tunnel kennenlernen. Er kann dir zur Hand gehen und von dir lernen, wie du dich in den Schächten bewegst."

Tom sah ihm an, dass er wenig begeistert war. „Wenn etwas schiefgeht, können wir nicht so schnell hochkommen. Wir sind zu alt und zu schwer. Und zu klein. Ihr seid beide schmal und hochgewachsen."

Da sein Vater nicht widersprach, nickte er langsam. „Okay, also machen wir es gemeinsam. Wann geht es los?"

„Super." Tom klopfte ihm jovial auf die Schulter. „Ich

wusste, dass du dich über das Abenteuer freust."

Sein Vater nickte ihm leicht zu. Ein Zeichen für Than, höflich zu lächeln. Dabei dachte er bei sich: „Dieser blöde Eno, jetzt habe ich einen Auftrag und muss ihn noch mitschleppen."

Am Abend war es so weit. Eno und Than fuhren auf die Nachbarinsel und stiegen dort in das Schachtsystem hinab. Ihm fiel auf, dass auch Eno scheinbar gar keine Angst vor den Follots zu haben schien. Eigentlich keiner der Menschen auf der Insel. Alle bewegten sich völlig selbstbewusst und nicht so, als ob sie achtsam den Himmel nach drohenden Gefahren absuchen würden.

Beim Abstieg in die Tunnel stellte sich Eno nicht ungeschickt an, wie Than sich eingestehen musste. Er trug einen verschlossenen Umschlag mit einer weiteren Botschaft, Eno einen großen Beutel mit Vorräten und Sämlingen. Den schweren Sack trugen sie abwechselnd. Tom hatte ihnen auch noch einen kleinen Vorratsbeutel für sich mitgegeben. Den trug Eno ebenfalls. Sie sollten warten, bis die Nacht angebrochen war, und dann gucken, ob die Wilderer ihnen bereits ein Zeichen hinterlassen hatten.

Than hatte das Messer seines Vaters dabei. Wo sein eigenes geblieben war, mochte er nicht sagen. „Verloren", war seine Erklärung, was ihm einen prüfenden Blick seines Vaters einbrachte, der wusste, wie ordentlich sein Sohn war.

Than hatte Hunger, aber er wollte Eno nicht bitten, ihm etwas von den Lebensmitteln zu geben, die für sie bestimmt waren. Als er wieder mit dem Tragen des Beutels dran war, griff er hinein und brach sich ein kleines Stück von dem Brot ab, das eigentlich für die Wilderer gedacht war. Es schmeckte ihm nicht.

Eno war fasziniert von den unterirdischen Gängen. Immer wieder leuchtete er in die Nebenschächte und stieß begeisterte Rufe aus. Je näher sie an den Aufstieg zur Wildererinsel kamen, desto mehr musste Than ihn zur Ruhe mahnen. Zwar waren die tosenden Geräusche des Flusses so laut, dass sie fast alle anderen Geräusche schluckten, aber trotzdem wollte er die Wilderer nicht vorwarnen.

Jetzt standen sie unter der verbarrikadierten Luke, und Eno machte Than eine Räuberleiter, damit der die obersten Gesteinsbrocken lösen konnte, die die Bretter von unten gegen den Schacht drückten. Die Stelle sah noch genauso aus wie zuvor. Wenn die Bewohner versucht hatten, sich aus ihrer Lage zu befreien, dann hatten sie sich keine große Mühe gegeben.

Than versuchte, den oberen Deckel hochzudrücken, der von außen den Schachteinstieg abdeckte. „Verflucht", zischte er. Denn egal, wie stark er drückte, der Deckel schien sich nicht zu bewegen.

Er klopfte gegen das Holz. Das dumpfe Geräusch war deutlich zu hören. Mit irgendetwas hatten die Wilderer die Luke beschwert. War da eine Bewegung? Than klopfte noch einmal. Dann war er sich sicher, wer oder was auch immer auf dem Deckel gewesen war, hatte sich bewegt. Natürlich. Dort saß einer der Männer und hielt Wache.

„Lasst mich rauf", rief er so laut er konnte. „Ich habe Nahrung für euch und einen Brief."

Die Luke bewegte sich, und er sah das grobe Gesicht eines der Männer. Der packte ihn sofort am Kragen und zog ihn mit ungeahnter Kraft aus dem Schacht.

„Na, Bürschchen, da habe ich dich!" Wild grinste er ihn an.

„Ich komme in Frieden. Wir brauchen euch. Wir sind keine Feinde!", rief Than erschrocken aus.

„Auf dein Geschwätz fall ich nicht rein. Komm mit zum Lager." Grob stieß ihn der Mann in die Seite.

Than nahm die Botschaft aus seiner Jacke und hielt sie dem Mann unter die Nase. „Könnt ihr lesen?"

Ein verächtliches Schnauben.

„Lest und dann entscheidet euch, aber lasst mich gehen."

Der Griff in seinem Nacken lockerte sich geringfügig.

„Deine Leute spielen falsch, Bürschchen."

In Thans Blick musste so viel Unglauben liegen, dass

sogar der harte Bursche sich zu einer Erklärung bemüßigt fühlte.

„Lasst uns auf der Insel. Mit euch ist es schlimmer als alleine."

Than besann sich, dass sie einen Beutel mit Lebensmitteln abzuliefern hatten, und bat den Mann, ihn diesen holen zu lassen. Das wurde ihm überraschenderweise gewährt. Also musste ihre Lage doch so verzweifelt sein, wie er annahm.

Er ließ sich kurz in den Schacht herunter. Seine Beine schlotterten noch vor Schock und Angst, und er fand kaum Halt. Unten angekommen, fand er Eno, der ihm den Beutel entgegenhielt. Gemeinsam schoben sie den Sack nach oben, und Than stieg damit das letzte Stück aus der Luke. Er sah gerade noch, wie der Kerl die Botschaft in tausend Stücke zerriss und vom Luftzug die einzelnen Schnipsel verstreut wurden.

„Hör zu! Genauso habe ich es mit eurem letzten Brief gemacht, den ihr uns hinterlassen habt, als ihr die Luke verbarrikadiert habt. Eure Absichten sind nicht ehrlich. Wir glauben euch nicht. Gib mir die Sachen und ich lass dich laufen."

Than fühlte Panik in sich hochsteigen, denn sein Vater hatte ihm eingeschärft, unbedingt die Männer auf ihre Seite zu bringen. „Wir sind ehrlich. Wie kannst du daran zweifeln!? Ihr habt uns überfallen."

Der Wilderer schüttelte den Kopf. „Ihr seid nicht die, für die ihr euch ausgebt."

„Nein, nein!"

Aber der Wilderer nickte und drückte ihn dabei zurück zum Schacht. „Geh und komm nicht wieder."

Einige Minuten später stand Than verdutzt wieder auf dem Boden des Tunnels.

Eno schüttelte ihn. „Sag, was ist passiert?"

Than zuckte die Schultern.

„Überlegen sie, sich uns anzuschließen?"

„Ich glaube nicht."

„Warum, was sollen sie denn sonst tun?"

„Keine Ahnung." Than wollte nicht konkreter werden. Die Zweifel des Wilderers an ihren Absichten gingen ihm durch den Kopf, aber er wollte sie für sich behalten. Vielleicht war es doch richtig, seinem Vater von Mina zu berichten.

Am folgenden Tag wollten Vohn und Than eigentlich zurück zu ihrer Insel. In der Nacht bekam Than allerdings heftige Magenkrämpfe und musste sich übergeben. Er hatte Fieber, das stieg und stieg. Hela machte ihm einen Tee und versuchte, seine heiße Stirn mit kalten Umschlägen zu kühlen. So verzögerte sich ihre Rückkehr.

Vohn war unruhig. Er wusste, dass Jitha sie erwartete und sicher äußerst besorgt war. Aber alleine konnte er schlecht durch das Schachtsystem zurück.

Drei Tage später war Than wieder so weit, dass er zurück konnte. Etwas blass und schwach auf den Beinen, verabschiedeten sie sich von ihren Gastgebern und versprachen, am nächsten Tag zurückzukommen. Vohn hatte eigentlich vor, nach den Wilderern zu schauen, aber Than war so kraftlos, dass er den Abstecher gedanklich auf ihren Rückweg zur Siedlung verlegte.

Jitha war außer sich vor Sorge, so wie sie vermutet hatten. Sie versorgte gerade die Tiere auf den Weiden, als sie kamen. Vohn erzählte ihr mit bunten Worten von allem, was sie entdeckt hatten. Die Menschen in der Siedlung lebten deutlich komfortabler, als sie es taten. Es gab in der Gemeinschaft Handwerker, einen Schmied, Zimmermänner und vieles, um sie gut versorgt zu wissen.

Thans Eltern schmiedeten Pläne, wie sie trotz des beschwerlichen Weges durch den Tunnel in dieser Gemeinschaft leben könnten, und er sah zum ersten Mal seit langer Zeit Hoffnung in ihren Augen. Er ging still hinter ihnen her. Schon beim Ausstieg aus dem Tunnel hatte er geahnt, was ihn erwarten würde. Und tatsächlich – beim ersten Blick über die Hänge zum Ufer konnte er sehen, dass das Wasser weiter gestiegen war. Nur ganz leicht, so sah es aus der Entfernung aus, aber es war gestiegen. Warum fiel das seinen Eltern nicht auf? Than war kurz davor, sich in das Gespräch einzumischen und ihnen zu sagen, dass sie nicht sicher waren. Dass das Wasser stieg und irgendwann nicht nur sie, sondern auch die anderen Inseln unter sich begraben würde. Aber er brachte es nicht übers Herz.

## 11 Der Plan

Than schlug sich mit beiden Händen vor das Gesicht. Er stand an der Bucht und schüttelte den Kopf. Gestern, auf dem Weg nach Hause, hatte er schon aus der Ferne sehen können, dass sich die Uferlinie auf ihrer Insel erneut verändert hatte. Aber von oben war es durch die hohen Wellen nicht einzuschätzen. Es sah eher so aus, als ob die Wellen sich nur ab und zu ein Stück weiter die Insel hoch wagten. Aber hier unten konnte er genau ablesen, was sich seit seinem letzten Besuch geändert hatte. Von seinen Kerben waren drei weitere unter Wasser. Und das nur so kurze Zeit nach seiner letzten Kontrolle.

Panisch rechnete er nach. Wenn die Flut weiter so stieg, dann wären nicht nur ihre Insel, sondern auch alle anderen nach seiner Einschätzung im nächsten Frühjahr verschwunden. Und keiner außer ihm schien das zu ahnen. Die Bewohner auf dem Plateau hatten keinerlei Abstieg zum Ufer, ihre Insel war aus brüchigem Stein mit steilen Abbrüchen. Alle hielten sich von den Kanten fern, und so wagte auch nie jemand einen Blick in die Tiefe.

Die Wilderer schienen sowieso nicht besonders lebenstüchtig zu sein, und Than fragte sich, wie sie überhaupt die ganzen Jahre überleben konnten. Und seine Eltern? Die waren schon lange nicht mehr in der Bucht gewesen. Than setzte sich auf einen Baumstumpf und dachte nach. Irgendetwas musste passieren.

Seinen Eltern konnte er nicht ihre Hoffnung nehmen, jetzt, wo sie gerade die Möglichkeit hatten, ihrer Einsamkeit zu entkommen. Tom und Eno gegenüber war er misstrauisch, sie würde er auf keinen Fall in seine Entdeckung einweihen. Die Wilderer fielen auch aus, sie waren ihm höchst suspekt, und der Überfall auf seinen Vater hatte gezeigt, wie rücksichtslos sie versuchten, für ihr Wohl zu sorgen. Die einzige Person, mit der er sich gerne beratschlagt hätte, war Mina. Ein entspanntes Lächeln machte sich für einen Augenblick auf seinem Gesicht breit. Dann wurde ihm klar, dass gerade Mina es war, die ihn am härtesten enttäuscht hatte, denn sie war ihm sofort sympathisch gewesen und dann hatte sie ihn beklaut.

Than fühlte sich alleine und einsam. Das Hochgefühl seiner Entdeckungen rund um das Tunnelsystem war verflogen. Die Gleichaltrigen, die er kennengelernt hatte und nach denen er sich so lange gesehnt hatte, waren ihm entweder suspekt, wie Eno, oder nicht vertrauenswürdig, wie Mina.

Da kam ihm Mok in den Sinn, der Junge mit dem runden Gesicht und den einfachen Worten. Ihn würde er bei ihrem nächsten Besuch versuchen, näher kennenzulernen. Aber damit war ihr größtes Problem immer noch nicht gelöst: die steigende Flut. Er wusste noch nicht wie, aber er wusste, er musste sofort los und gucken, ob es eine Möglichkeit zur Rettung gab.

Aufgeregt lief er zurück zum Haus und sagte seinen Eltern, dass er in den Gängen etwas vergessen hätte. Jetzt, da die Gefahr der Wilderer vorerst gebannt zu sein schien, hielten seine Eltern die Tunnelgänge für sicher und ließen ihn ziehen.

Aber Than schlug im Berg eine andere Richtung ein. Er kletterte den Schacht hinab, der von ihrer Insel in das Tunnelsystem führte, und wandte sich dann nach Westen. Diese Richtung, zum Gebirge der Odonen hin, hatte er noch nie erkundet. Er hoffte auf irgendetwas, das ihm die Logik der Flut verstehen lassen würde. Denn erst dann konnten sie wirklich dagegen kämpfen.

Der Gang endete vor einem Geröllhaufen. Hier hatte wohl eines der zahlreichen Beben den Tunnel versperrt. Planlos versuchte er mit seiner Lampe, einen Weg durch die engen Nebengänge zu finden. Die meisten waren nur Schächte, die einer Ader gefolgt waren. Gerade wollte er resigniert umdrehen, als er noch einen Gang direkt vor dem Geröll entdeckte. Er war halb verschüttet, sah aber beim Hineinleuchten dahinter breiter aus als viele andere.

Mit beiden Händen schaufelte Than das Gestein zur Seite, und zwar so, dass er sich auf Knien durch die engste Stelle hindurchzwängen konnte. Und tatsächlich: Dahinter wurde der Gang breiter. Er schien nicht nur einer Ader zu folgen, sondern noch einen anderen Zweck zu erfüllen.

Am Ende sah er einen kleinen Raum. Als er näher kam, konnte er sehen, dass es eine alte Lagerstätte der Bergleute gewesen sein musste. Ein unterirdisches Lagezentrum und eine Gerätekammer. Überall standen alte Loren, und auf einem massiven Holztisch lagen allerhand Pläne ausgebreitet, so als ob jemand nur kurz weggegangen wäre, um etwas zu holen.

„Wahnsinn", dachte Than und leuchtete den Raum aus, der so groß war wie ihr ganzes Haus. Einen Raum dieser Größe unter Tage zu bauen, musste eine gewaltige Kraftanstrengung sein. Gut durchdacht gab es einen technischen Bereich, in dem der Holztisch stand. Nicht nur auf ihm lagen verstaubte Pläne, auch in der Wand davor waren zahlreiche Rollen mit Papier abgelegt. Ein großer Besprechungstisch mit Stühlen rundete das Bild ab. Alles war von einer lehmfarbenen Staubschicht überzogen. Im vorderen Teil waren Werkzeuge, Lampen, Laternen und kleine Wagen. Die vordersten waren sogar akkurat mit Werkzeugen beladen. So als ob gleich ein Bergarbeiter um die Ecke kommen würde, um sich seine Arbeitsmittel für die Schicht zu holen.

Than trat einen Schritt zurück und stolperte. Sein rechter Fuß knickte schmerzhaft um. Irgendetwas lag hinter ihm. Als er sich umdrehte und die Stelle beleuchtete, sah er hinter sich auf dem Boden menschliche Skelette liegen. Also sah es nicht nur so aus – das war eine Szene bei

Arbeitsantritt. Hier waren Bergleute von einem Erdsturz oder einer anderen Katastrophe überrascht worden.

„Nicht ablenken lassen", sagte Than zu sich selbst. Denn er wusste, irgendwo musste er einen Hinweis finden, wie er zu den Odonen kommen könnte. Und irgendwie musste er in Erfahrung bringen, wie die Flut zu stoppen war. Sein Blick fiel erneut auf den Schreibtisch. Die Pläne. Schnell trat er näher heran und wischte mit seinem Ärmel den Staub von den Plänen.

„Wow!" Da lag sie vor ihm. Eine Skizze. Die technische Zeichnung der Stollen und Gänge. Sogar der große Raum, in dem er sich befand, war verzeichnet, eine Art Lagezentrum und Verteilstation, in der auch die Schreibarbeit des Bergbaus erledigt wurde. „Wahnsinn", stieß er aus und wirbelte bei seinen begeisterten Rufen so viel Staub auf, dass er gleich einen Hustenanfall bekam. „Jipppiiieh!" Er drehte sich um seine eigene Achse und führte einen Freudentanz auf. Der mündete in einem weiteren Hustenanfall und brachte ihn schnell zur Besinnung.

Der verstaubte Plan auf dem Schreibtisch war genau das, was er brauchte. In ihm waren von seinem Standort aus die weitläufigen Tunnelgänge eingezeichnet. Und sogar die ins Leere laufenden Abzweigungen dort, wo die Bergleute einer Ader mit wertvollem Gestein nur so weit gefolgt waren, wie sie existierte oder breit genug war. Ein dickes schwarzes „X" kennzeichnete ihre Begrenzung.

Den verschütteten Teil des Hauptganges, an dem er abgebogen war, konnte er leicht umgehen. Hinter diesem Raum ging es über einige Abzweigungen wieder auf den breiten Haupttunnel. Dort, wo der Tunnel am Ende des Papiers fast aus dem Bild lief, war eine Abschlussnummer vermerkt: 42. Er stutzte kurz und schaute dann in das Regal mit den anderen Papierrollen. Und tatsächlich, an jedem Fach waren mit schwarzer Schrift Nummern vermerkt. Es dauerte eine Weile, bis er den entsprechenden Anschlussplan fand. Das trübe Licht und die verstaubten Regale erschwerten seine Suche.

Er zog den Plan heraus. Beim Ausrollen schien das Papier leicht zu bröseln. Dieser Raum war im Gegensatz zu den anderen Teilen des Tunnels sehr trocken und auch deutlich wärmer. Er nahm beide Teile mit zu dem langen Tisch. Trotz des brüchigen Papiers schaffte er es, ihn gerade an den anderen Plan anzulegen.

„Hab ich es mir doch gedacht!", rief Than leise. Denn der Tunnel führte auch auf diesem Plan weiter. Weiter nach Westen. Am rechten Rand des Papiers gab es eine neue Nummer. Am Ende hatte er sieben Pläne, die die Streckenabschnitte Richtung Westen darstellten. Auf dem letzten endete das Tunnelsystem abrupt. Beim genaueren Hinsehen konnte er erkennen, dass dort wohl zu früheren Zeiten ein Ausstieg markiert war. Nun war dieser von fetten Kreuzen, Blitzen und Totenköpfen übermalt und somit unkenntlich gemacht worden.

Noch einmal schob er die Teile der Pläne nebeneinander,

so gut es der Platz auf dem Tisch hergab, und versuchte, die Entfernung zu schätzen. Bis zu dem unkenntlich gemachten Ausstieg waren es sicher zwanzig Kilometer. Und er wusste, dort angekommen, war er noch längst nicht im Gebirge der Odonen. Er dachte nach. Wenn er Glück hatte, dann fand er den Ausstieg und er war im Gebirge über der Wassergrenze des Flusses. Und wenn er noch mehr Glück hatte, dann war dieser Teil nicht wie ihre anderen Ausstiege von Wasser umflutet und somit nur eine abgeschottete Insel. Mit ganz viel Glück war dies ein Ausstieg am Fuße des Gebirges zu den Odonen.

Er packte alles zusammen und ging los. Erst unterwegs wurde ihm klar, dass er es nicht an einem Tag hin und auch zurück schaffen konnte. Als dann noch größere Felsabbrüche im Tunnel sein Fortkommen erschwerten, drehte er um und überlegte sich einen Plan. Einen Plan, den er erst einmal auf Eis legen musste. Denn als er wieder zu Hause angekommen war, warteten seine Eltern bereits auf ihn.

„Than!" Seine Mutter kam ihm mit leuchtenden Augen entgegen. „Wir ziehen um."

„Was?"

„Ja, wir haben schon alles besprochen. Tom hat uns angeboten, zu ihnen in die Siedlung zu ziehen", erklärte sein Vater.

„Wann denn das?"

„Schon vor ein paar Tagen, aber ich wollte es erst mit deiner Mutter besprechen."

„Wir haben bereits alles geplant, mit etwas Glück können wir sogar die Tiere mitnehmen."

„Oh nein." Than stöhnte auf.

Ein Umzug. Neben der Tatsache, dass er seine neuen Bekanntschaften durchaus mit gemischten Gefühlen sah, empfand er einen Umzug als komplette Zeitverschwendung.

„Than, auch für dich wird es viel einfacher. Dort leben wir in einer Gemeinschaft. Du wirst Freunde finden."

Than schüttelte den Kopf. „Wir werden alle gemeinsam absaufen", dachte er.

„Wir wollen vor dem Wintereinbruch weg sein, also müssen wir alle mit anpacken. Du hilfst uns mit dem Hausbau drüben, und Mutter kümmert sich hier so gut es geht um die Vorbereitungen."

„Aber die Follots!", rief er. „Nicht ohne Grund meiden sie das Dorf. Irgendetwas stimmt dort nicht!"

Vohn hatte Jitha von dem komischen Verhalten der Follots berichtet. Sie hatten lange die Nachteile eines Umzugs diskutiert. Letztendlich kamen sie aber beide zu dem Schluss, dass ihre Überlebenschancen in einer großen Gruppe größer wären.

Than schluckte, als er merkte, dass er sich nicht gegen den Umzug wehren konnte. Er überlegte fieberhaft nach weiteren Gründen, die seine Eltern von ihrem Vorhaben abhalten könnten, aber ihm kam keiner in den Sinn. Wenn er jetzt auch noch von den steigenden Fluten berichten würde, dann würden sie vielleicht sogar überstürzt umsiedeln, ohne dass sie eine richtige Unterkunft hatten. Denn das Plateau lag etwas höher als ihr Haus. Das hieße mit großer Wahrscheinlichkeit, in das Haus von Tom zu ziehen und diesen unsympathischen Eno noch näher an sich dran zu haben. Außerdem würden die anderen Fragen stellen, wenn sie so plötzlich von ihrer Insel flohen. Und nach den Worten der Wilderer, Minas Warnung und dem merkwürdig zurückhaltenden Verhalten der Follots über dem Plateau war Than sich sicher, dass irgendjemand ihnen gefährlich werden konnte, wenn er den Ernst der Lage erkannte.

„Okay", fügte er sich scheinbar der Idee seiner Eltern. Dabei ratterten seine Gedanken, und er überlegte schon, wie er seine Pläne weiter verfolgen könnte.

Die Umsiedlung war noch deutlich aufwändiger, als Than und Vohn gedacht hätten. In ihrer neuen Gemeinschaft wurden sie zwar so gut es ging von den anderen beim Hausbau unterstützt, aber es wurde langsam Herbst und das hieß, dass auf den Feldern jede Hand gebraucht wurde, um die Ernte einzufahren und alles für den harten Winter vorzubereiten.

Than verbrachte Tage im Wald, um Bäume auszuwählen

und zu fällen. Dann zog er mit einem Karren und zwei Pferden über das Plateau und sammelte große Steine ein, die ihnen als Mauerwerk dienen sollten. Er sehnte sich den Tag herbei, an dem der Hausbau begann und das Wissen der anderen Männer gefragt war. „Dann bin ich doch überflüssig", dachte er sich und hoffte darauf, den westlichen Abschnitt des Tunnels erkunden zu können.

Durch die körperliche Arbeit fiel er abends todmüde ins Bett. Und selbst die Nähe von Eno war durch seine Erschöpfung erträglicher. Ab und zu, wenn er auf den Feldern nach Steinen suchte, sah er aus dem Augenwinkel, dass Mina ihm ein Stück gefolgt war. Dann stand sie regungslos, wie eine Statue, in einigem Abstand und beobachtete ihn. So, als ob sie auf ein Zeichen warten würde, um näher heranzukommen. Aber er versuchte, sie zu ignorieren.

Und dann kam der Tag, an dem alles auf dem freien Bauplatz zusammengetragen war und der Hausbau begonnen werden konnte. Eine Woche waren sie jetzt von Jitha getrennt, und Than mahnte seinen Vater, dass unbedingt jemand nach ihr sehen müsse. Da er wesentlich schneller die Strecke durch die Gänge bewerkstelligen konnte und auch beim Bau aufgrund seiner fehlenden Kenntnisse entbehrlicher war, stimmte Vohn zu und ließ ihn ziehen.

Schwer beladen mit Geschenken der Dorfbewohner und großen, stabilen Tüchern für den Transport ihres Hab und Guts machte er sich auf den Weg. Ein bisschen nagte an ihm das schlechte Gewissen, denn seinem Vater hatte er vorgegaukelt, seiner Mutter helfen zu wollen. Dabei sah sein wirklicher Plan so aus, nur die Fuhre bei ihr abzuladen und dann mit der Ausrede, dass er dringend beim Hausbau gebraucht wurde, zu verschwinden.

Schneller als gedacht konnte er den Besuch bei seiner Mutter hinter sich bringen. Als Erstes ging er zur Bucht, nachdem er die Geschenke bei ihr abgeladen hatte. Und erschrak. Es waren nur wenige Tage seit seinem letzten Besuch hier unten vergangen, und wieder waren zwei seiner Markierungen überflutet. Er schüttelte den Kopf. Wie konnte es sein, dass dieser Wasseranstieg allen anderen verborgen blieb?

Aber war das so? Vielleicht hatten ja auch die Wilderer inzwischen den Ernst der Lage begriffen? Nur zu gerne hätte er ihnen gleich einen Besuch abgestattet. Bloß schien ihm die Zeit davonzulaufen.

Mit einer Lampe, Wasser, ein paar harten Käsestücken und altem Brot als Proviant machte er sich wieder auf den Weg in den Tunnel. Diesmal fand er die Leitzentrale, wie er den alten Raum der Bergleute heimlich getauft hatte, sofort. Er raffte die Karten zusammen und klemmte sie sich unter den Arm. Gerade wollte er hinaus in den Tunnel, als sein Licht im Drehen über den großen Tisch schwenkte. Verdutzt hielt er in der Bewegung inne. Dann nahm er die Lampe und ging näher ran. Er sah Abdrücke von Händen auf dem staubigen Teil des Tisches. Dort, wo er bei seinem ersten Besuch keine

Karten abgelegt hatte. Die Spuren sahen frisch aus. Und Than war sich sicher, dass er diese Ecke des Tisches nicht angefasst hatte.

Noch in Gedanken, machte er sich auf den Weg. Er durfte jetzt keine Zeit vergeuden, um nach weiteren Spuren zu suchen. Schließlich schien die Flut stärker zu steigen, als er sich hätte vorstellen können, und egal, wer die Kammer nach ihm entdeckt hatte, er konnte nur hoffen, dass dieser Jemand ihm wohlgesonnen war.

Auch ohne auf die Pläne zu gucken, fand er den Weg in den Haupttunnel hinter dem Erdrutsch wieder. Am liebsten wäre er den Weg gelaufen, aber mit seiner mit Vorräten beladenen Tasche über den Schultern, den zusammengerollten Plänen unter dem Arm und der Lampe in der ausgestreckten Hand ging das nicht. Und das war besser so. Denn auch hier war der Boden des Tunnels nur grob behauen und wies immer mal wieder Stolperfallen auf. Spitze Steine, die plötzlich und unvermutet aus dem grauen Gesteinsboden hervorreckten und in dem schummrigen Licht der Lampe nicht zu erkennen waren.

Mehrere Stunden war Than schon unterwegs. Der Tunnel streckte sich doch länger, als er vermutet hatte. Plötzlich fiel ihm auf, dass das Rauschen des Wassers immer leiser wurde. Das kannte er zwar auch aus den vorderen Teilen des Tunnels von immer den Stellen, an denen sich kleine Hügel und Berge über dem Tunnel türmten, aber dort wurde es auch immer wieder lauter, wenn er unterirdisch den Hügel hinter sich gelassen hatte. Jetzt merkte er, wie die Lautstärke schon seit einigen Kilometern nachließ. Ein Zeichen, dass er sich schon unter den Ausläufern des Odonen-Gebirges befinden konnte.

Than machte eine kleine Pause und rollte die Pläne aus. Weit konnte es nicht mehr sein, bis er auf den Ausstieg stieß. Ein Blick in die Pläne bestätigte seine Vermutung. Es waren nur noch wenige hundert Meter bis zu dem eingezeichneten Schacht, der steil nach oben führte. Hastig aß er etwas von seinen Vorräten, obwohl er keinen Hunger verspürte. Er wusste, dass er Kraft für den Aufstieg brauchte. Dann rollte er die Pläne zusammen und klemmte sie wieder unter den Arm.

Mit den letzten Metern stieg seine Spannung. Auf was für einen Schacht würde er stoßen? Wäre er in der Lage, ihn nach oben zu klettern? Die anderen Schächte waren immer so gebaut, dass er mit seiner Technik mühelos nach oben kam. Aber würde es hier auch so sein? Er wusste ja nicht einmal, wozu dieser Ausstieg im Gebirge ehemals diente.

Und da war er schon. Deutlich sah er vor sich in der Decke einen riesigen schwarzen Auslass. So groß, dass er keine Chance hatte, ihn zu erklimmen.

„Das war's dann wohl!" Than lehnte sich enttäuscht an die Wand und überlegte, was er tun konnte. Aber ihm fiel nicht recht etwas ein. Er hatte außer dem Licht, den Plänen und seinen Vorräten nichts dabei. In der Leitstelle hatte er Seile gesehen. Bloß wollte er auf keinen Fall umkehren.

Eine ganze Weile saß er auf dem Steinfußboden und grübelte. Als seine Beine langsam einschliefen, stand er auf. Mit der Lampe ging er noch einmal näher an den Schacht und leuchtete nach oben. Etwas reflektierte das Licht. In den Schacht waren Metallsprossen eingelassen, die ein Stück über seinem Kopf endeten. Mit etwas Glück konnte er es schaffen, im Sprung die unterste zu erwischen. Schweren Herzens stellte er seine Lampe auf den unebenen Boden in sicherer Entfernung ab und rieb sich die Hände.

„Eins, zwei …" Dann hüpfte er nach oben. Dabei verfehlte er die untere Sprosse ein ganzes Stück. Beim zweiten Versuch kam er weiter, stieß sich dabei aber den Kopf schmerzhaft am Rand des Schachtes.

„Au", entfuhr es ihm.

Es dauerte noch einige Male, aber dann spürte er das kalte Metall an seiner linken Hand und konnte sich daran festhalten. Reflexartig griff er auch mit der anderen Hand zu und zog sich weiter nach oben. Die letzten Monate hatte er seine Geschicklichkeit trainiert. Das Metall gab einen hohlen Laut von sich, so als ob es sich wegen der ungewohnten Belastung beschweren wollte. Er begann zu klettern. Das Licht seiner Lampe wurde mit jedem Meter, den er weiter nach oben kam, blasser. Bald befand er sich im pechschwarzen Schacht. Trotzdem ließ er im Tempo nicht nach. Er war sich auf einmal nicht sicher, wie lange seine Lampe unten noch brennen würde, und wollte auf keinen Fall auf dem Rückweg im Dunkeln den Sprung auf den Tunnelboden wagen.

Irgendwann hatte er seinen Rhythmus gefunden. Aus dem anfänglichen zögerlichen Belasten der einzelnen Sprossen wurde bald Vertrauen in deren Stabilität. Than fühlte sich in der Schwärze fast wie in einer Art Trance.

Und genau da passierte es. Eine der Sprossen schien sich durch sein Gewicht plötzlich aus der Verankerung zu lösen. Than war so überrascht, dass er eine Sekunde zu lange zögerte, bevor er mit der zweiten Hand versuchte, die Sprosse darüber zu erreichen. Er verfehlte sie knapp und verlor auch mit den Füßen den Halt. Er hing im Schacht. Sein einziger Halt war die lose Sprosse, die sich gefährlich weit gelöst hatte.

Pling. Etwas Kleines sprang an seiner Hand aus der Verankerung und landete gefühlte Stunden später mit einem metallischen Geräusch auf dem Boden des Tunnels. Pling. Schon wieder, und noch bevor es auf dem Boden landete, wusste Than, woher dieses Geräusch kam. Die Sprossen mussten mit Metallstiften in der Wand verankert sein. Jetzt lösten sie sich unter seinem Gewicht einer nach dem anderen. Und viele konnten es nicht mehr sein.

Panisch ruderte Than mit der freien Hand und versuchte in Todesangst, Halt zu finden. Aber seine hektischen

Bewegungen lockerten die Sprossen nur noch weiter. Er wusste, ein Absturz aus dieser Höhe war sein sicherer Tod. Und vermutlich nicht nur seiner. Pling. Thans Arm schmerzte immer mehr unter der Belastung seines Körpergewichts. Er wusste, selbst wenn die Sprosse noch hielt, könnte er sich nicht mehr lange so halten.

Trotz seiner Panik versuchte er, ruhiger zu atmen. Und tatsächlich, langsam wurde er ruhiger. Jetzt bekam er auch wieder Macht über seine willenlosen Beine, schaffte es, sie ruhig und ganz langsam an die unteren Sprossen zu drücken. Dann fand er erst mit dem einen, dann mit dem anderen Fuß wieder Halt, und schon konnte er mit der freien Hand die Sprosse unter derjenigen greifen, die nur noch an wenigen Nieten hing. Erleichtert zog er seinen Körper an die Leiter.

Sein Körper zitterte unkontrolliert, und er fror erbärmlich. Mit äußerster Willensanstrengung tastete er sich weiter nach oben. Jetzt deutlich vorsichtiger. Dabei zählte er alle weiteren Sprossen, nach denen er griff.

Irgendwann hatte er das Gefühl, dass das Dunkel um ihn etwas weniger Dunkel wurde. Er blickte nach oben. Und tatsächlich sah er schon ein wenig vom Licht der Dämmerung von oben durch den Schacht. Jetzt konnte er noch etwas schneller zugreifen, da er die einzelnen Sprossen wieder erkennen konnte.

Der Ausstieg war schon deutlich über ihm zu erkennen, als er auf eine weitere lose Sprosse traf. Diesmal war er vorbereitet. Und das war gut so. Denn beim Griff an das Metall löste sich dieses sofort mit einem knarzenden Geräusch aus der Verankerung. Than machte ein verblüfftes Gesicht, als er plötzlich die gesamte Sprosse in der Hand hielt. Seinen Körper drückte er dabei aber weiter an die Wand des Schachtes. So konnte er mit einem Griff die fehlende Sprosse übergehen.

Dann stieß sein Kopf gegen eine Luke. Es reichte ein leichter Druck, um die mit Moos bewachsenen Ränder von dem Untergrund zu lösen. Mit einem Schwung war er draußen und hielt vor Staunen die Luft an.

Von hier aus konnte er im Osten die untergehende Sonne sehen. Vor ihm breitete sich eine in rotes Licht getauchte, unwirkliche Landschaft aus. Der Fluss sah aus wie ein gigantischer Lavastrom. Er hatte seinen Ursprung in einem überdimensionierten Wasserfall, der sich oberhalb von ihm südlich aus einer Felsspalte ergoss. Das Wasser an sich war nicht zu sehen, sondern nur der neblige Dunst, in dem sich die Farben fingen und von ihm geschluckt zu werden schienen.

Erleichtert stellte Than fest, dass keine ihrer Inseln von hier aus zu sehen war. Zu hoch sprühte die Gischt und versperrte dadurch die Sicht vom Gebirge auf ihre kleinen Rettungsinseln. Einen Grund für das steigende Wasser konnte er in der Dämmerung nicht erkennen.

Than beschloss, sich mit den letzten Strahlen der Sonne an den Abstieg zu machen. Er hatte sein erstes Ziel erreicht. Nun musste er mit mehr Zeit und entsprechender Ausrüstung wiederkommen, um eine längere Erkundungstour zu machen.

Die erste abgerissene Stufe konnte er durch die Luke, die er wieder geschlossen hatte, problemlos erkennen. Danach wusste er, ungefähr hundertfünfzig Stufen und er müsste mit den Füßen auf die Stufe treffen, die sich teilweise aus der Wand des Schachtes gelöst hatte. Er überging sie ohne Probleme. Langsam merkte er, wie erschöpft er war. Bald kam auch das flackernde Licht seiner Lampe in Sicht, und mit einem Sprung landete er auf dem Boden. Fast knickten seine Beine ein, so müde war er. Aber er fand mit der Hand Halt an der Seitenwand des Tunnels und stützte sich ab.

Seine Pläne und die Tasche lagen noch so auf den Steinen, wie er sie liegen gelassen hatte. Er raffte alles zusammen und warf einen besorgten Blick auf die Lampe. Lange würde sie nicht mehr scheinen. Er beeilte sich, schnell zurückzukommen.

Kurz vor dem Lagezentrum gab sie endgültig den Geist auf. Diesen Teil des Rückwegs war Than bereits beim ersten Mal gegangen, und er war ihm schon etwas vertraut. Tastend fand er zurück in den großen Raum. Hier hatte er beim ersten Besuch Leuchtmittel in den Regalen gesehen. Er konnte nur hoffen, dass diese im Laufe der Jahrzehnte nicht ihre Fähigkeiten eingebüßt hatten. Denn die Nacht war längst hereingebrochen, und selbst wenn er sich zutraute, den Weg um die verschüttete Stelle herum zum Hauptgang zu finden, in der Dunkelheit hätte er keine Chance, vor dem Morgen wieder eine der Ausstiegsluken zu den Inseln zu finden.

Er versuchte sich erneut im Geiste den Raum und die Lage der Regale in Erinnerung zu rufen. Dann tastete er sich an den Regalen entlang. Irgendwo hier gab es eine Reihe von Öl-Laternen. Sein Griff umschloss Glas. Eindeutig der Lampenschirm einer der Laternen. Mit der anderen Hand kramte er umständlich in seiner Tasche, die noch immer um seine Schulter hing. Aber so wurde er nicht fündig. Also arbeitete er sich im Dunkeln zu dem großen Tisch vor und stellte die Laterne ab. Nun konnte er die Tasche von den Schultern nehmen und öffnen. Feuerstein und Zunder lagen dort. Zwar war der Zunder von der Feuchtigkeit seiner Käsevorräte etwas feucht geworden, aber für ein paar Funken reichte es und schon brannte die Laterne. Die Flamme knisterte und der Docht sprühte Funken. Zu lange hatte niemand mehr mit ihnen geleuchtet.

Ein kleiner Moment, in dem die Flamme brannte, und dann sah Than, wie sie auszugehen drohte. Schon war es wieder dunkel. Ihm fiel ein, dass durch die Jahre sicher das Öl in dem kleinen Vorratstank verdunstet war. Bei der nächsten Lampe, die er aus dem Regal holte, schüttelte er zur Kontrolle den Boden. Und tatsächlich, ein träges Schwappen war zu hören. Dann hob er im Dunkeln das Schutzglas und drückte den dicken Docht weiter nach unten, damit er sich nach den langen Jahren wieder vollsaugen konnte.

Er zündete das Licht an. Diese Technik hatte mehr Erfolg, und nun hatte er den Raum in gleichmäßiges Licht getaucht.

Am liebsten wäre er nach diesen Erlebnissen auf ihre Insel zurückgegangen und hätte sich bei seiner Mutter ausgeschlafen. Nur hätte er so übermüdet und mit leeren Händen sicher Fragen bei ihr aufgeworfen. Fragen, die er sich auf keinen Fall stellen lassen wollte.

Than machte eine kleine Pause bei dem Aufstieg zu der Wilderer-Insel und aß seine letzten Vorräte. Müde wie er war, fielen ihm fast von alleine die Augen zu, und das wilde Rauschen des Flusses war dabei wie ein Schlaflied, das ihn seinen Träumen näher brachte.

Plötzlich schrak er hoch. Stimmen. Er hörte eindeutig Stimmen.

## 12 Das Gebirge

Lautlos richtete er sich auf. Wer konnte außer ihm im Tunnel sein? Auf dem Plateau waren alle, die es irgendwie einrichten konnten, dabei, ihnen beim Hausbau zu helfen. Als Einzige käme seine Mutter infrage. Aber mit wem sollte sie im Tunnel sein? Beim näheren Hinhören meinte er, zwei männliche Stimmen auszumachen. Stimmen, an deren Klang er sich vage erinnern konnte.

Er löschte das Licht und drehte sich im Tunnel hin und her, um die Richtung zu orten. Jetzt, ohne die Ablenkung der Lampe, schien sich sein Gehör zu schärfen. Und er meinte, eine Richtung erkennen zu können, aus der die Stimmen kamen. Von oben. Sie kamen eindeutig von oben aus der Luke. Er musste jetzt direkt darunter stehen, denn er spürte schon an seinem Arm die Konstruktion, mit der sie die Ausgangsluke einbruchsicher gemacht hatten. Oben mussten Männer Wache schieben und dabei vergessen haben, dass jemand, der unter ihnen war, zuhören konnte. Sie schienen zu diskutieren, aber er hörte nur Wortfetzen.

„Ich habe ihn erkannt", sagte die eine Stimme.

„Es ist eindeutig …"

Mehr konnte Than nicht verstehen. Nach ein paar knackenden Geräuschen wurden die Stimmen noch leiser, so als ob sie sich von der Luke entfernten. Than machte wieder das Licht an und ging weiter. Die Tunnelgänge knarzten und knackten laut. Sie ächzten unter dem steigenden Wasserdruck. Than wusste, es war nur eine Frage der Zeit, bis die steigenden Fluten so viel Druck hätten, dass die Decken der Gänge zusammenbrechen würden. Er konnte nur hoffen, dass er vorher die Ursache der Flut finden und stoppen konnte.

Die Konstruktion, mit der Than von der unbewohnten Nachbarinsel auf das Plateau übersetzen konnte, war inzwischen umgebaut. Er konnte sie mit etwas Geschick selbst bedienen.

Ihm passte es gut, dass er in der Dunkelheit auf der Insel ankam. Sein Anblick ließ sicher bei Tageslicht viele Fragen aufkommen, die er im Augenblick nicht gestellt bekommen wollte. Müde, verdreckt und voller Staub, mit rotgeränderten Augen, Schürfwunden und Kratzern von den Beinahe-Abstürzen in dem Schacht, ging er den Weg durch das Dorf. Er sah vereinzelt den Schein der Glut durch die Fenster, denn die meisten Bewohner ließen ihr Feuer über Nacht nicht erlöschen.

Er ging an Toms Haus vorbei. Sein Vater wohnte noch dort, aber um zu ihm zu kommen, hätte er die anderen Bewohner sicher geweckt. Er musste schmunzeln, als er sich ausmalte, wie Eno wohl gucken würde, wenn er ihn so sehen könnte.

Vor den letzten Häusern am Dorfrand machte er kurz Halt. Minas Haus lag direkt links von ihm, und er sah, dass die Zimmer noch erleuchtet waren. Zwei Personen bewegten sich und warfen unheimliche Schatten auf die Beete seitlich des Hauses. Dort, wo er sich mit Mina unterhalten hatte. Also hatte sie Familie. Irgendwie beruhigte Than der Gedanke, und er ging weiter.

Kurz vor der Dorfgrenze lag ihre Baustelle. Der Mond schien nur trübe durch den dunstigen Himmel, trotzdem konnte er sehen, wie weit die Männer in den letzten Tagen gekommen waren. Das Erdgeschoss aus Stein war bereits fertig, und auf den Mauern lagen dicke Holzbalken. Sie bildeten die Grundlage für das nächste Stockwerk. Leise schlich er durch den Bau. Das Haus wirkte jetzt schon solide und wie für die Ewigkeit gebaut. Traurig strich er über eine der Wände. In einer Ecke rollte er sich schließlich zusammen und versuchte, trotz der Kälte etwas Schlaf zu finden. Er schlief sofort ein, ohne etwas zu träumen.

Am nächsten Morgen schlug er überrascht die Augen auf. Er lag noch immer zusammengekauert in seiner Ecke, aber irgendjemand hatte ihn nachts mit zwei schweren Wolldecken zugedeckt. Deswegen hatte er wohl auch länger geschlafen, als er wollte. Zum Glück war noch keiner gekommen, um weiter an dem Haus zu arbeiten. Draußen stand ein großer Trog mit Wasser, mit dem die Männer den Mörtel anrührten. Er wusch sich so ausgiebig wie möglich und ohne darauf zu achten, ob einer der neuen Nachbarn ihn beobachtete.

Auf dem Weg ins Dorf sah er auch, warum sein Vater und die anderen Helfer ihn nicht gestört hatten. Alle waren auf einem kleinen Platz und sägten und schliffen lange Holzbohlen für das Dach. Er begrüßte alle. Jetzt, wo sie ihn gesehen hatten, musste er, um den Schein zu wahren, etwas helfen. Eine monotone Tätigkeit, für die er dankbar war, denn so konnte er in Gedanken weiter planen, an was er bei der Erkundung des Gebirges hinter dem Schachtausgang denken musste. Seine lange Liste brachte er abends vor dem Zubettgehen zu Papier. Hier in der Gemeinschaft hatten sie nichts, was er nutzen konnte, ohne es zu stehlen. Er musste erneut zu seiner Mutter, um sich seine Vorräte und warme Kleidung zusammenzusuchen.

Mina sah er ein paar Mal und hatte wieder das Gefühl, sie hielte sich auf Abstand. Aber trotzdem schien sie sich ihm bewusst zu zeigen, so als ob sie ihn stumm bitten würde, zu ihr zu kommen. Er versuchte sie zu ignorieren und konzentrierte sich auf seine Pläne.

Als er das nächste Mal zu ihrem neuen Haus ging, fiel ihm auf, dass die Decken verschwunden waren. Irgendjemand musste letzte Nacht seine Ankunft beobachtet haben und es gut mit ihm meinen. Aber dieser Jemand wollte scheinbar nicht entdeckt werden.

Am nächsten Morgen schaffte er es, sich wieder von den Verpflichtungen des Baus loszueisen und sich auf den Weg zu seiner Mutter zu machen. Die freute sich sehr über seinen weiteren Besuch, auch wenn er diesmal wesentlich weniger Geschenke der Dorfbewohner für ihren Umzug dabei hatte. Zum Fluss traute er sich nicht und war froh, dass auch seine Mutter scheinbar in der Zwischenzeit nichts von dem steigenden Wasser bemerkt hatte.

Am nächsten Nachmittag machte er sich wieder auf den Weg. Seine Mutter gab ihm noch einige Leckereien mit, in der Annahme, dass er zurück zum Plateau und zu seinem Vater wolle. Seine warmen Sachen konnte er auch bedenkenlos mitnehmen, denn die Tage und Nächte wurden kühler, und schließlich brauchte er auch dort warme Kleidung.

Schwer bepackt stieg er wieder in den Tunnel und ging bis zu der alten Leitstelle. Dort lud er einen Teil seiner Vorräte ab, die er erst für den Rückweg brauchte. Die zusammengerollten Pläne, die er bei seiner letzten Erkundung hier wieder abgelegt hatte, lagen noch immer so auf dem Tisch, wie er sie zurückgelassen hatte. Und auch sonst machte der Raum nicht den Eindruck, dass in der Zwischenzeit jemand dort gewesen wäre.

Gerade wollte Than sich beruhigt auf den weiteren Weg durch den Tunnel machen. Er wollte ein Licht aus seinem neu entdeckten Vorrat mitnehmen. Ein letztes Mal hob er das Lampenglas, um etwas Öl nachzufüllen. Da sah er aus dem Augenwinkel in der Tür einen großen Schatten, der sich schnell auf ihn zubewegte.

Than hielt die Luft an. Er hätte schwören können, dass

ihm niemand gefolgt war, und sprang schnell zwischen Tisch und Regal. Sein Licht flackerte kurz durch den überraschenden Luftzug und erlosch. Die plötzliche Dunkelheit bot ihm Schutz, und er hörte, wie auch sein Verfolger stehen blieb.

„Was machst du hier?!" Die wütende Stimme von Eno erkannte er sofort.

Than entspannte sich etwas, obwohl er über den Besuch nicht gerade erfreut war.

„Was machst du hier?"

„Ich bin dir gefolgt. Du hast allen erzählt, du müsstest zu deiner Mutter, und jetzt drückst du dich vor der Arbeit und lässt die anderen alle euer Haus bauen und vergnügst dich hier. Wo sind wir hier überhaupt?"

Than atmete erleichtert aus. Eno war ihm nur gefolgt, weil er vermutete, dass er lieber die Tunnel erkundete und keine Lust auf die Mühen des Baus hatte.

„Warte, lass uns das Licht wieder anmachen." Langsam tastete er sich zu der Lampe. Dann griff er in seine Tasche und nahm den Feuerstein und Zunder.

Als das Licht wieder brannte, trat Eno näher und startete jetzt, wo er das Objekt seiner Wut vor sich hatte, erneut seine Vorwürfe.

„Lässt uns alle Steine schleppen und verdrückst dich zu deiner Mutter … Und dann kommst du nicht mal zurück … Wie lange treibst du das Spielchen schon? Was deine Eltern wohl sagen würden, wenn sie das wüssten? Was, wenn das Dorf das wüsste! Was du für ein faules Stück bist …"

Than versuchte ruhig zu bleiben, was angesichts der Anschuldigungen gar nicht so einfach war. Er schaute auf Eno. Irgendetwas in seinem Gesicht passte nicht zu der Wut in seinen Worten, aber er kam nicht darauf, was.

Langsam versuchte er, ihn zu beschwichtigen und ihn dazu zu bewegen, gemeinsam umzukehren. Denn das Letzte, was er wollte, war, dass Eno seine Pläne entdeckte. Aber auch Eno hatte sich während des Gesprächs weiter umgeschaut. Und sein Blick blieb wie festgenagelt auf den Plänen haften, die zusammengerollt auf dem großen Tisch lagen. Mit einem Sprung war er am Tisch und rollte den ersten auf. Schon von Weitem sah Than, dass es sich um den letzten Plan vom Tunnel handelte, den entscheidenden. Den Plan, in dem der Aufstieg durch den Schacht in das Gebirge eingezeichnet war.

Eno pfiff anerkennend durch die Zähne. „Na, was für eine Überraschung."

Than verfluchte sich innerlich dafür, dass er so gedankenlos hier hergekommen war. Und das, wo er doch schon bei seinem letzten Besuch geglaubt hatte, ein paar frische Abdrücke in dem Staub des Tisches gesehen zu haben. Das hätte ihm eigentlich Warnung genug sein müssen.

„Was ist das alles hier?" Eno zeigte auf den Plan und den Raum. „Wo sind wir?"

„Du warst hier noch nie?"

Aber statt einer Antwort erhielt er nur einen fragenden Blick.

Ihm war klar, dass er Eno nicht mehr loswerden würde. Wenn er jetzt mit ihm zurück ins Dorf ging, dann würden ihn sein Vater und Tom nicht mehr so leicht gehen lassen. Und das hieß, dass er ihnen alles erzählen musste. Eno jetzt mitzunehmen, hielt er für das geringere Übel. Und außerdem wäre er vielleicht eine Hilfe bei den weiteren Erkundigungen.

So knapp wie möglich schilderte Than seinen Plan, das Gebirge zu erkunden, und verriet ihm, dass er bereits ein Mal den Schacht nach oben gestiegen war. Die steigende Flut ließ er absichtlich außen vor.

Enos Augen leuchteten. Than wusste, dass auch er auf ein Abenteuer aus war. Gemeinsam marschierten sie durch das Tunnelsystem und waren schneller, als Than es in Erinnerung hatte, bei dem großen Schlot, der steil in die Höhe führte. Er verschränkte beide Hände ineinander und gab Eno ein Zeichen, seinen Fuß dort reinzustellen, damit er ihn nach oben zu der ersten Sprosse drücken konnte. Sie vereinbarten, dass er oben seine Hand ausstrecken würde, um Than nachzuhelfen.

Aber kaum hatte Eno Halt gefunden, kletterte er nach oben weiter. „Hast du gedacht, bei dem Abenteuer darfst du dabei sein?", rief er höhnisch nach unten.

Than stand erst eine Weile völlig perplex unter dem Schacht und schaute Eno hinterher, der langsam im Dunkeln verschwand. Seine Schritte verhallten schnell. Plötzlich fielen Than wieder die lockeren Verankerungen ein. „Eno", schrie er ihm hinterher. „Eno, sei vorsichtig, die Stufen!" Aber er bekam keine Antwort.

Schnell hüpfte Than auf und ab, um sich bereit zu machen für einen hohen Sprung, mit dem er die erste Stufe aus eigener Kraft erreichen wollte. Es dauerte deutlich länger als beim ersten Mal. Denn nun hatte er seine vollbepackte Tasche umgehängt, in der er eine weitere Lampe und warme Kleidung verstaut hatte. Diese zusätzlichen Kilos bremsten seinen Sprung. Irgendwann schaffte er es dann, die unterste Stufe zu greifen. Ohne nachzudenken kletterte er Eno hinterher. Das Einzige, was er tat, war, die Stufen zu zählen.

Knack. Schon hörte er über sich ein lautes Knarzen und dann einen spitzen Schrei, wie von einem Tier.

Eno hatte die lose Stufe erreicht. „Hilfe, Than, ich falle!", schrie er panisch nach unten.

Than legte noch an Geschwindigkeit zu und vergaß darüber das Zählen. Er wusste ja jetzt, wo die Stufe war, schließlich hing Eno an ihr.

„Than!", kreischte Eno erneut. „Than, beeil dich!"

Than war völlig außer Atem, als er endlich den Luftzug von Enos wild um sich schlagenden Beinen spürte. „Halt dich ruhig. Ich bin da."

Aber seine Beschwichtigungsversuche konnten Eno nicht beruhigen. Völlig außer sich und so wild wie Than zuvor an dieser Stelle, schlug er mit den Beinen um sich, um Halt zu finden.

„Eno, du musst dich ruhig halten. Ich kann nicht näher ran, dann triffst du mich", versuchte er es erneut. „Halt die Beine gerade nach unten, dann komm ich näher heran und helfe dir, Halt auf einer Stufe zu finden."

Eno brauchte einen Augenblick. Dann gelang es ihm, sich etwas zu konzentrieren, und er bekam Spannung in seine Beine. So war es für Than einfach. Er kam ein paar Stufen höher und wedelte mit einem Arm, um in der absoluten Dunkelheit Enos Beine zu fassen zu bekommen. Er drückte beide leicht gegen die Mauer und führte seine Füße auf eine Stufe.

Enos schweres Ausatmen war voller Erleichterung, als er Halt fand. Ein paar Mal schnaubte er laut, um dann loszubrüllen: „Du hättest mich umbringen können! Sag mal, spinnst du?"

Than, der unter ihm stand, hielt verblüfft die Luft an. So ein Idiot. Erst haute er einfach ab in der Hoffnung, dass Than nicht hinterherkommen könnte, und dann machte er ihm Vorwürfe. Eno wurde ihm immer unsympathischer, obwohl er schon gedacht hatte, das ginge gar nicht mehr. Aber Than wusste auch nicht, was er antworten sollte. Streiten hatte er nie gelernt und schon gar nicht, sich gegen unfaire Behauptungen zur Wehr zu setzen. Er war einfach nur irritiert und abgestoßen.

„Kannst du weitergehen?", fragte er, statt auf die Anschuldigungen einzugehen.

„Klar", kam die knappe Antwort direkt über ihm.

Ihr weiterer Aufstieg verlief etwas langsamer, und Than konzentrierte sich darauf, im Geiste weiter zu zählen. Er wollte Eno rechtzeitig von der nächsten, ganz herausgerissenen Stufe warnen. Da er ihm aber nach diesem Vorfall noch weniger traute, sparte er sich die Warnung noch etwas auf.

Nach einer Weile kamen sie an die nächste unsichere Stelle, und dank Thans Anweisungen konnten sie beide über die fehlende Sprosse steigen, ohne sich in Gefahr zu begeben.

Draußen dämmerte es, als sie aus der Luke stiegen. Beide standen mit Blick zum Sonnenuntergang auf der kleinen, ebenen Fläche neben der Klappe und schwiegen. Than dachte für einen Augenblick, dass Eno doch nicht so verkehrt sein konnte, wenn er diesen Ausblick genoss. Für eine Sekunde wurde er ihm fast sympathisch.

Aber dann entfuhren Eno entrückt zwei Worte: „Mein Land." Sein Blick haftete fasziniert auf dem überfluteten Tal, das wie immer von einer feinen Dunstschicht überzogen war.

„Los, lass uns beeilen, bevor es dunkel wird", trieb Than ihn an und riss ihn so aus seinen Gedanken.

Neben der Ausstiegsluke wand sich ein schmaler Pfad steil nach oben, der vollkommen überwuchert war. Than registrierte, dass dieser Pfad lange nicht genutzt wurde, und wurde etwas ruhiger. Er wollte die letzten Strahlen der Sonne nutzen, um so weit wie möglich in das Gebirge vorzudringen.

Auch wenn er die Lampe extra mitgenommen hatte, um im Dunkeln zu leuchten, wollte er vorsichtig sein. Wer wusste schon, wo und wie die Odonen lebten. Er war sich zwar fast sicher, dass sie deutlich höher im Gebirge wohnten, aber auch von oben konnten sie vermutlich leicht auf viele Kilometer Entfernung sein Licht erkennen. Außerdem wusste er nicht, ob es auch hier Follots gab.

Beide waren von den ungewohnten Anstrengungen schnell außer Atem. Die Luft wurde in diesen Höhen immer dünner und erschwerte ihnen den Aufstieg zusätzlich. Bei Einbruch der Dunkelheit gönnten sie sich eine Pause, und Than teilte sein Wasser und den Proviant unter ihnen auf. Ohne ein Wort des Dankes nahm Eno seinen Teil entgegen und machte sich hungrig darüber her.

Than drängte nach einer kurzen Rast zum Aufbruch. Im faden Mondlicht, das durch große, schwere Regenwolken drang, stiefelten sie weiter bergan. Innerlich betete er, dass es trocken blieb. Denn seine Kleidung war zwar warm, aber aus Wolle und würde sich sofort mit Wasser vollsaugen. Er schielte kurz zu Eno. Ihm würde es nicht anders gehen.

Than wusste genau, wohin er wollte in dieser Nacht. Der kleine Weg wand sich über die Felsen und führte sie leicht nach rechts. Dorthin, wo Than den riesigen Wasserfall vermutete, der die Ursache allen Übels war.

Seit er Eno notgedrungen in seine Pläne eingeweiht hatte, war dieser deutlich stiller. Aber vielleicht lag es auch an den Anstrengungen und der späten Stunde, zu der sie unterwegs waren.

Immer näher kam das Rauschen des Wassers. Mit jedem Meter, den sie näher herankamen, wurde die Luft feuchter, und kleine Tropfen setzten sich auf ihrer Kleidung fest.

An einer Kreuzung stießen sie unvermittelt auf eine breite Kiesstraße. Überrascht, in dieser Höhe und scheinbar weit weg von allen menschlichen Siedlungen einen so gut ausgebauten Weg zu finden, folgten sie diesem. Bald ging es nur noch parallel zum Berg weiter. Than war froh, dass sie jetzt deutlich mehr Abstand zwischen sich und den Abgrund bringen konnten. Die Sicht, sowieso schon eingeschränkt durch den wolkenverhangenen Mond, wurde durch dichten Nebel weiter eingeschränkt, je näher sie dem Wasserfall kamen. Erst kurz davor wurden sie durch lautes Tosen der Wassermassen gewarnt. Erstaunt bemerkte Than, dass es trotz der Kälte im Gebirge immer wärmer geworden war, je näher sie an den Auslass kamen.

In der Dunkelheit konnten sie kaum etwas sehen, aber Than erkannte das Offensichtliche sofort. Dies war kein Naturwunder, auf das sie gestoßen waren. Nicht nur die breite Zufahrtsstraße, auch der von Menschenhand behauene Stein über ihnen wies deutlich darauf hin, dass hier der Natur gewaltig nachgeholfen wurde.

Vorsichtig versuchte Than, an den Steinen weiter nach oben zu klettern, um dem Auslass näher zu kommen, aus dem das Wasser in die Tiefe stob. Aber der nasse, feuchte Stein war von Moos bewachsen und so glitschig, dass er seine zaghaften Versuche bald aufgab.

„Komm, lass uns umkehren!", schrie er durch das Tosen Richtung Eno, der hinter ihm stand, und zog ihn am Arm.

Wer das geschaffen hatte, der würde niemals kampflos aufgeben. Sie brauchten Waffen.

Eno starrte mit offenem Mund fasziniert auf die Wassermassen und war kaum von dem sich bietenden Anblick loszureißen.

„Eno, wir sind gleich völlig durchnässt! Komm, wir müssen noch einmal wiederkommen." Thans Zug an Enos

Arm wurde deutlich energischer. Er drehte sich um und ging schon einmal den Kiesweg ein Stück zurück, um dem Lärm und der Nässe zu entfliehen.

Erst auf dem Rückweg wurde ihm langsam klar, was er gerade gesehen hatte. Hier war von Menschenhand der Wasserfall so vergrößert worden, dass genug herabstürzen konnte, um ihr gesamtes Tal dauerhaft zu überfluten. Aber er grübelte noch über etwas anderes, ohne eine Lösung zu finden. Woher kam das ganze Wasser? Diese gigantischen Massen, die nie versiegten, mussten irgendwo ihren Ursprung haben. Und dort wäre auch die Lösung, ihre Rettung, zu finden.

Der Weg nach Hause gestaltete sich mühsam. Die durchnässte Kleidung kühlte schnell aus und wog schwer. Außerdem war Than hungrig und ärgerte sich im Stillen, dass er dieses Abenteuer und seinen Proviant mit Eno teilen musste.

„Kein Wort zu unseren Eltern oder sonst jemandem!", wies Eno ihn an, kurz bevor sie von der einsamen Insel zum Plateau übersetzten.

„Hatte ich auch nicht vor." Than war sauer. Es war seine Entdeckung. Der Tunnel, die Leitstelle, die Pläne, der Aufstieg ins Gebirge und auch der Wasserfall. Und nun, kurz vor ihrer Rückkehr, wollte Eno die Zügel in die Hand nehmen.

„Wir müssen zurück. Das Wasser stoppen. Ich rette das Land! Äh … wir retten das Land! Geh morgen zu deiner

Mutter und hol von euch alles, was wir an Ausrüstung gebrauchen können."

Than schwieg und brummte nur leicht, was man eventuell als Zustimmung deuten konnte. Äußerlich schien er ruhig. Innerlich kochte er aber vor Wut. Wie selbstverständlich hatte Eno die Führung an sich gerissen und das, obwohl er nicht einmal wusste, wie schlecht es um sie stand.

Im Dorf bog Eno gleich zu der Hütte seiner Familie ab, die im Zentrum lag.

„Wo gehst du hin?", zischte er Than hinterher, der nicht mal stoppte, um sich zu verabschieden.

Than ging einfach stur weiter. Der Frage schenkte er keine Beachtung.

In ihrem zukünftigen Zuhause war es in der Zwischenzeit etwas wohnlicher geworden. Die obere Etage stand, und das Dach war bereits zur Hälfte mit flachen Schindeln bedeckt. Beim Näherkommen sah er wieder das Licht im Haus von Mina. Es war mitten in der Nacht. Aber Schatten konnte er keine am Fenster entdecken. Er wusch sich flüchtig mit dem kalten Wasser auf der Baustelle und legte sich dann in einen der Räume in ihrem neuen Haus. Ihm war eiskalt, und die feuchte Kleidung klebte noch immer an ihm. Einen Moment war er versucht, bei Mina zu klopfen, aber sein Stolz verbot es ihm und so schlief er frierend ein.

Mit den ersten Sonnenstrahlen war er diesmal wach. Sofort ging er im Kopf durch, was er brauchen würde, um den Wasserfall bei seinem nächsten Besuch zu erkunden. Er musste die Quelle finden, aus der das Wasser so unerbittlich floss, und sie dann irgendwie stoppen. Aber wie? Eno hatte recht, er musste noch einmal seine Mutter besuchen. Es ärgerte ihn, dass er nicht daran gedacht hatte. Aber hier auf dem Plateau würde er die nötigen Dinge nicht unauffällig beschaffen können. Am besten ging er gleich los.

Seine Mutter staunte nicht schlecht, als sie Than so bald wiedersah. Eine Ausrede wollte ihm nur schwer über die Lippen kommen. Denn ihm war schon auf dem Weg zu ihrem Haus den Hügel hinab klar, wie hoch die Flut inzwischen gestiegen war. Er druckste herum und fühlte sich sichtlich unwohl in seiner Haut. Aber Jitha schien das nicht zu merken. Sie hatte in der kurzen Zeit fast ihren gesamten Hausrat gepackt und nur noch das Nötigste für den täglichen Gebrauch griffbereit.

Im Stall fand er ein paar Metallhaken und auch ein paar Reste von ihren Netzen, die provisorisch zu einem stark geknoteten unförmigen Seil zusammengeflickt waren. Ohne viel Zeit zu verlieren, schmiss er alles in seine Tasche, steckte in die Zwischenräume noch ein paar Stücke Käse und streichelte die Tiere im Stall. Ihm war es ein Rätsel, wie seine Eltern die Schafe und Kühe auf das Plateau schaffen wollten, wenn sie durch den Tunnel mussten.

Obwohl Than erst zum dritten Mal seine unterirdische Route in das Gebirge lief, kamen ihm die Gänge in dem zuckenden Licht der Laterne sehr vertraut vor. Er war nicht zurückgegangen, um Eno zu holen. Dies war sein Abenteuer! Diesmal hatte er sogar daran gedacht, eine stark gewachste Jacke überzuwerfen, um der Feuchtigkeit am Wasserfall entgegentreten zu können.

Er schaffte die Strecke bis zum Wasserfall in wenigen Stunden. Ab und zu meinte er, hinter sich ein Rascheln oder ein leises Keuchen zu hören. Than war sich nicht sicher, ob er nicht wieder verfolgt wurde. Aber es war ihm egal. Selbst wenn Eno ihm erneut auf die Schliche gekommen war, würde sich an seinem Plan nichts ändern. Er wollte nur nicht, dass Eno vor ihm da war und seine Pläne durchkreuzte, indem er selbst dem Geheimnis um die Quelle auf der Spur war. Bei den lauten Nebengeräuschen durch Äste und Steine, die über ihm von der reißenden Strömung über den Boden des Flusses geschleift wurden, konnte er sowieso nicht mit Sicherheit sagen, ob er wirklich etwas anderes hören konnte.

Einen Augenblick war er unsicher. Denn als er aus dem Schacht aufstieg, stellte er fest, dass es noch heller Tag war. Er überlegte kurz, ob er sich zum Schutz vor den Odonen bis zum Einbruch der Dunkelheit in der Nähe verstecken sollte. Allerdings konnte er, so gewissenhaft er sich auch umschaute, kein Zeichen entdecken, das dafür sprach, dass irgendwo in der Nähe Menschen sein könnten. Nur auf dem breiten Kiesweg, der das letzte

Stück zum Ursprung des Wasserfalls führte, konnte er erkennen, dass hier vor Kurzem Menschen mit schweren Wagen gegangen sein mussten. Jetzt, bei Tageslicht, sah er zahlreiche tiefe Spuren von Rädern im feuchten Kies.

In sicherer Entfernung vor dem Spritzwasser setzte er sich an den Wegesrand und versuchte, den Auslass des Wassers aus dem Felsen genauer zu studieren.

## 13 Die Vergangenheit

Vohn stand alleine vor dem halbfertigen Haus und ärgerte sich. Der Bau ging ihm nicht schnell genug voran und er fürchtete, dass der Wintereinbruch kam, bevor das Haus bezugsfertig war. Jitha alleine auf ihrer Insel zu lassen, war ihm schwergefallen, und er war froh, dass Than sich bereit erklärt hatte, die Besuche zu übernehmen. Jeder Gang durch den Tunnel war für ihn eine enorme Kraftanstrengung. An diesem Tag mussten die letzten Erntearbeiten erledigt werden, und so wurden alle seine Helfer aus dem Dorf auf den Feldern und den Obstwiesen benötigt.

Er ging um das halbfertige Haus und klopfte von Zeit zu Zeit gegen die Steinwände, um zu prüfen, ob der Mörtel schon hielt und die Mauern belastbar waren für das nächste Stockwerk. Aus der Ferne sah er einen kleinen Punkt näher kommen. Wahrscheinlich einer der Feldarbeiter, der etwas zu Hause vergessen hatte. Vohn prüfte weiter die bisherigen Arbeiten und nahm Maß für die Türzargen.

„Hallo, Vohn."

Erschrocken drehte er sich um. Vor ihm stand eine Frau. Großgewachsen, schlank und von großer Anmut. Ihre dunklen Haare fielen ihr in langen Wellen über die Schulter. Sie kam ihm entfernt bekannt vor, und er versuchte in ihrem Gesicht zu lesen, woher.

„Ja?"

Er sah sie fragend an.

„Du kennst mich noch?"

Und dann erkannte Vohn, wen er vor sich hatte. „Pi!", rief er begeistert und nahm sie in die Arme. Er musste sie einfach drücken. Dabei merkte er, wie schlank und zerbrechlich ihr Körper war.

„Du bist hier? Warum habe ich dich nicht im Dorf gesehen? Warum hat Tom nichts erzählt? ... Ah!" Er schlug sich mit der Hand gegen die Stirn. „Natürlich, Tom ... Geht es dir gut?"

„Ja. Nein. Also ich wohne nicht im Dorf. Meine Hütte ist am anderen Ende des Plateaus. Im Wald. Nachdem das Schicksal Tom und mich auf der Insel hier unausweichlich zusammengebracht hat, bin ich freiwillig in den Wald gezogen. Ich kann es nicht sehen. Ich kann ihn nicht sehen."

Vohn verstand nicht gleich. Zu lange war er aus der Gemeinschaft raus.

„Wir haben uns getrennt, und ich bin froh darüber. Aber Hela zu sehen und zu sehen, wie er mit ihr umgeht, das bricht mir das Herz."

Vohn nickte nur.

„Er ist kein guter Mensch, Vohn. Sei vorsichtig. Du denkst, er ist noch so wie früher. Aber er hat sich verändert. Schon vor der Flut. Und ich bin froh über jeden Meter, der zwischen ihm und mir liegt. Auch die Follots meiden das Dorf, dabei haben sie es eindeutig auf uns Ihmada abgesehen. Nur mich greifen sie manchmal an, weil ich so weit auswärts wohne."

Nach und nach kamen auch bei Vohn die Erinnerungen zurück. Lange war Tom sein bester Freund gewesen in seiner Jugend. Bis zu dem Tag, an dem Vohn seinen Vater verlor. Vohn gab sich dafür die Schuld und meinte, sich in seinem unsäglichen Schmerz und der Trauer von Tom abgewendet zu haben. Von Pi zu hören, dass Tom nicht mehr so war, wie er ihn kannte, überraschte ihn. In den letzten Wochen hatte er Toms Gastfreundschaft sehr genossen, und auch Hela, die er nur selten zu Gesicht bekam, war äußerst zuvorkommend. Nur das angespannte Verhältnis zwischen Than und Eno machte ihm etwas zu schaffen, weil er gehofft hatte, Than würde einen gleichaltrigen Kameraden finden.

„Vohn, es gibt noch etwas." Pi zögerte kurz, bevor sie fortfuhr. „Der Fluss, er steigt."

„Was?"

„Ja. Du kannst es von hier aus nicht sehen, weil wir nur Steilküste haben. Aber ich gehe regelmäßig zur Klippe an meinem Haus und beobachte das Wasser. In den letzten

Monaten ist es gestiegen."

„Wie viel?"

„Mehrere Meter."

„Oh nein."

„Ich weiß nicht, ob es weiter steigen kann, und auch nicht, warum. Aber eines glaube ich bestimmt: Die Leute im Dorf haben erzählt, dass ihr mit den alten Bergstollen eine Verbindung zwischen eurer Insel und unserer Nachbarinsel gefunden habt. Stimmt das?"

„Ja."

„Dann passt auf. Der Wasserdruck wird immer größer, und ich glaube, das System ist nicht mehr sicher. Haltet euch aus dem Tunnel fern!"

„Aber Jitha ..." Vohn schaute sie verzweifelt an. „Jitha ist noch drüben."

„Dann hol sie schnell, bevor es zu spät ist!"

## 14 Die Kammer

Leise klirrten die dünnen Ketten. Than wickelte sie sich gewissenhaft um seine Schuhe, um beim Aufstieg zum Auslass des Wassers mehr Halt zu haben. Ab und zu schaute er sich in der Umgebung um. Aber es war kein Anzeichen anderer Menschen zu erkennen. Mit der kleinen Hacke in der Hand machte er sich an den Aufstieg.

Schon nach wenigen Metern gelangte er auf einen etwas schmaleren Pfad, der direkt in das Innere des Wasserfalls zu führen schien. Neugierig folgte er ihm und war froh, dass er noch Tageslicht hatte. Der Dunst aus Millionen mikroskopisch kleinen Wassertröpfchen legte einen feinen Nebel über den Auslass.

Erstaunt hielt er am Eingang inne. Er sah vor sich eine in Stein gehauene Treppe, die ein ganzes Stück weiter oben in das Innere des Auslasses zu führen schien. Neben der Treppe stand eine riesige menschliche Figur aus Stein, wie ein Wächter. Das Gesicht war von unten kaum zu erkennen. Thans Ketten unter den Schuhen leisteten ihm gute Dienste, denn auch hier war der Boden rutschig, wenn auch kaum Moos auf den Steinen wucherte.

Als er an der obersten Treppenstufe außen angelangt war, konnte er auch einen Blick in den Berg werfen. Vor sich sah er eine riesige natürliche Höhle, von deren Decke bizarre Steinformationen wie mahnende Wächter aus dem Nebel auftauchten und der Höhle eine unheimliche Atmosphäre gaben. Die Treppe führte noch ein paar Stufen weiter in die Höhle und endete dann in einem langen in den Fels gehauenen Gang, der scheinbar den ganzen Rand der Höhle von innen zu umlaufen schien.

Ein morsches Geländer aus verrottetem Holz trennte ihn von den riesigen Wassermassen. Sogar hier in der Höhle konnte Than erkennen, dass das Wasser gestiegen war. Es war hier deutlich ruhiger als draußen, aber der Strom schwappte an einigen Stellen gefährlich nah an den Pfad heran, auf dem er sich jetzt vorwärtsbewegte. Durch den Auslass drang noch etwas Licht, aber je weiter er sich ins Innere begab, desto schwächer wurde es. Dafür stiegen die Temperaturen deutlich an. Than schwitzte immer mehr unter seiner Jacke, und das Fortkommen wurde zunehmend anstrengender. Ihm war bewusst, wie gefährlich sein Unterfangen war, und je dunkler es wurde, desto öfter rutschte er auf den nassen Steinen zur Seite weg und musste Halt an dem maroden Geländer suchen. Nirgendwo sah er Odonen.

Gerade als er überlegte, ob seine Lampe wohl in der feuchten Luft zu gebrauchen war, sah er es. Hinter der gigantischen Höhle, in der er sich bewegte, schien noch ein weiterer Raum zu sein, aus dem ein schwaches Licht zu dringen schien. Aber je näher er kam, desto dichter wurde der weiße Wasserdampf, bis er schließlich in einer diffusen weißen Wolke stand. Der Weg vor ihm schien direkt vor seinen Augen im Nichts zu verschwinden, und er hörte seltsame Geräusche, fast wie ein Rufen.

Schritt für Schritt wagte er sich weiter in den heißen Dampf vor. Jetzt konnte Than auch die Lichtquelle erahnen. Sie schien von oben zu kommen, direkt über dieser zweiten Höhle musste ein Schacht ans Tageslicht führen. Nach wenigen Schritten kam er nicht mehr weiter. Sein Gesicht glühte bereits von der Wärme, und er bekam kaum noch Luft. Er musste versuchen, von außen auf den Berg zu klettern, um das System weiter zu erkunden.

Viel zu schnell machte er sich auf den Rückweg, und nur durch Zufall oder Glück schien das Geländer genau dort noch zu halten, wo er sich abstützen musste. Draußen angekommen, setzte er sich auf die erste Stufe der Steintreppe und wischte sich den Wasserdampf und Schweiß aus dem heißen Gesicht.

Mit dem Kopf in den Händen versuchte er, wieder klar zu denken. Das Fallen der Kiesel nahm er erst wahr, als es schon zu spät war. Er spürte noch einen dumpfen Schlag, und dann wurde es Dunkel um ihn.

„Hey, aufwachen." Sanft schüttelte jemand Thans Schulter.

Völlig benommen rieb er sich den Kopf und versuchte, seine Augen zu öffnen. Inzwischen war es dunkel geworden. Über sich konnte er die Schatten einiger Rhododendren erkennen, die ihre Wurzeln in den harten

Boden gegraben hatten. Er brauchte etwas, um seine Augen an die Dunkelheit zu gewöhnen. Vor ihm stand Mina und blinzelte ihm besorgt entgegen.

„Was machst du hier?"

„Was machst du hier? So alleine?"

Thans Erinnerung kam langsam wieder und er wurde wütend.

„Sag mal, was sollte denn das? Warum hast du mich ohnmächtig geschlagen?", fuhr er Mina an.

„Ich war es nicht."

„Ja wer denn sonst? Siehst du hier etwa noch jemanden?"

„Ich glaube, Eno war es. Ich bin ihm gefolgt und ich glaube, er hat vor der Höhle auf dich gewartet."

„Und was machst du hier?"

Trotzig schaute Mina ihn an. „Und du?" Sie rümpfte die Nase. „Lässt dich hier von Eno zusammenschlagen, als ob du nichts Besseres zu tun hättest ..."

„Woher willst du denn wissen, was ich zu tun habe?" In Than stieg Ärger auf. Was wollte Mina hier überhaupt?

„Ich weiß, was du zu tun hast, und wenn du dich nicht beeilst, dann macht Eno irgendetwas Dummes. Komm." Mina stieß ihn sanft in die Seite. „Lass uns los. Wir müssen schnell weiter ins Gebirge."

„Woher weißt du, was wir tun müssen?" Than stieg keuchend einen kleinen Pfad bergan. Er drehte sich kurz zu Mina um, ohne innezuhalten.

„Von meiner Tante."

„Wer ist deine Tante?"

„Dein Vater kennt sie. Sie hat mir von ihm erzählt."

„Und woher?"

„Meine Tante war früher mit Tom zusammen. Er ist kein guter Mensch, und sie hat es schnell gemerkt. Schon sein Vater hat im Dorf heimlich für die Odonen Informationen gesammelt und ihnen Hinweise gegeben, wen sie im Tal berauben könnten. Tom ist da irgendwann reingerutscht, sagt sie."

„Und was hat mein Vater damit zu tun?"

„Die beiden waren schon früher beste Freunde, aber ich glaube, irgendetwas hat Tom gemacht, er hat deinen Vater hintergangen. Das sagt meine Tante."

„Das wüsste ich aber."

„Sicher?"

„Ja, mein Vater und auch meine Mutter waren so froh, Tom und Hunn zu sehen, und ich kann mir nicht vorstellen, dass sie den beiden gegenüber Vorbehalte haben."

„Vielleicht weiß dein Vater es auch nicht. Vielleicht ist es auch nur eine Vermutung meiner Tante."

„Aber woher weiß sie das denn, wenn nicht mal mein Vater es weiß?"

„Sie waren lange zusammen. Mehrere Jahre. Tom war nicht nett zu ihr und wurde immer undurchschaubarer und brutaler. Sie sagt, irgendetwas ist passiert und er wurde herrschsüchtig und dachte, er könne über alles und jeden bestimmen. Und so ist er noch immer."

„Wirklich? Zu uns war er gastfreundlich."

„Ja, klar. Er verstellt sich ganz schön. Ich glaube, er will euch auf der Insel haben und dann zeigt er, wer er ist. Das sagt meine Tante wenigstens. Und außerdem ist er zu den Bewohnern im Dorf anders. Er hält die Fäden in der Hand. Er sorgt sich auch, so wie bei euch, indem er euch bei sich unterbringt und organisiert, dass alle beim Hausbau helfen, aber er hat auch ein anderes Gesicht."

„Wie Eno", sagte Than leise zu sich selbst.

Mina hatte gute Ohren und seine Worte gehört. „Wie Eno. Und deswegen glaube ich auch, er führt nichts Gutes im Schilde."

Schnell stiegen sie den überwucherten Pfad weiter bergan.

„Und wenn deine Tante das alles weiß, weiß sie auch, woher die Flut kommt?"

„Nein, das weiß sie nicht. Aber sie hat mir erzählt, dass das Wasser in den letzten Monaten schnell gestiegen ist. Sie war letzte Nacht bei mir und hat mich gewarnt. Ich sollte heute eigentlich zu dir gehen und es dir erzählen. Meine Tante wollte deinen Vater abfangen. Sie hat Angst, dass Tom etwas tut, was nicht gut für die Gemeinschaft ist, wenn er weiß, dass wir alle bald ertrinken könnten."

„Aber wenn du weißt, wie die Flut steigt, dann weißt du auch, wie gefährlich es war, mir zu folgen?"

Than drehte sich nochmals um und sah Mina direkt in die Augen. Trotz der Dunkelheit spendete der zunehmende Mond mehr Licht als zuvor, und er sah ein überraschtes Aufblitzen in ihrem Gesicht.

„Ja."

„Ja? Und warum bist du hier?"

Einen kurzen Augenblick schaute sie zu Boden.

„Ich musste dich doch warnen."

„Aber ich wusste, dass das Wasser steigt."

„Nicht vor dem Wasser, vor Eno. Denn er ist wie sein Vater. Er kennt keine Gnade."

Dem konnte Than innerlich nur zustimmen. Eine Welle

von Sympathie überkam ihn. Und dann fiel ihm wieder ein, dass Mina diejenige war, die sein Messer geklaut hatte. Sein Messer, während sie an das Haus gelehnt saßen und friedlich miteinander sprachen. Augenblicklich verschloss sich sein Gesicht, und er drehte sich wieder nach vorne und marschierte energisch weiter.

Mina merkte, dass etwas nicht stimmte.

„Und jetzt?"

„Jetzt suchen wir nach der Quelle der Flut."

„Und nach Eno?"

„Ich glaube, wir finden Eno da, wo die Flut entsteht."

Trotz der Dunkelheit kamen sie gut voran. Than hielt seine Augen nach den mächtigen Schatten der Follots offen, aber auch hier gab es keine. Wieso auch? Denn wenn sie es auf Ihmada abgesehen hatten, konnten sie sicher sein, im Land der Odonen nicht fündig zu werden.

Ab und zu schaute er auch am Wegesrand, ob er etwas Essbares finden konnte. Er wusste, sie hatten einen langen Weg ins Gebirge vor sich und es würde nicht nur kalt werden, sondern auch kräftezehrend. Wasser hatte er schon gesehen, denn auf dieser Höhe regneten sich die Wolken oft ab und hinterließen dünne Rinnsale, die durch das harte Gras sickerten.

„Was suchst du?"

„Essen. Wir müssen noch viel weiter nach oben und sind sicher noch den ganzen Tag morgen unterwegs. Ich habe nur ein wenig Käse dabei und der reicht nicht für uns zwei."

„Aber ich habe noch was!", rief Mina erfreut. Sie öffnete ihren dicken Mantel und griff sich vor die Brust. Mit einem kurzen Ruck beförderte sie einen riesigen Brotlaib heraus.

Than musste beeindruckt lachen. Damit hatte er überhaupt nicht gerechnet. Ihm war nicht einmal aufgefallen, dass Mina übermäßig dick oder unförmig unter ihrer Kleidung ausgesehen hatte.

„Wo hast du denn den versteckt?", fragte er grinsend.

„Hunger?"

„Und wie!"

Mina brach zwei große Stücke von dem Brot ab und reichte ihm eins nach vorne. Das Brot schmeckte köstlich. Kauend stiegen sie weiter nach oben ins Gebirge.

Als die Morgendämmerung hereinbrach, machten sie vor einem großen, höhlenförmigen Steinvorsprung Halt. Das moosbewachsene Dach bot ihnen Schutz und versperrte auch von oben aus dem Gebirge die Sicht auf sie.

„Lass uns eine Pause machen, Mina."

Beide setzten sich im Schneidersitz in die Höhle und

lehnten sich mit dem Kopf an die Rückwand. Augenblicklich waren sie eingeschlafen.

Stunden später schien die schon tiefer sinkende Sonne direkt in ihren Unterschlupf und weckte sie. Than stand sofort auf und lugte vorsichtig aus ihrem schützenden Unterschlupf. Um sie herum breitete sich ein ausgedünntes Nadelwäldchen aus. Einige kleinwüchsige knorrige Tannen und Silberfichten standen in losen Gruppen auf der weitestgehend ebenen Fläche.

Seine Augen suchten die imposanten Gebirgszüge ab, die sich steil vor ihnen im Osten erhoben. Verfärbungen im Gestein, die sich kilometerweit senkrecht von Felsvorsprüngen nach unten ausbreiteten, deuteten auf versiegte Wasserfälle hin, die dort vor wenigen Jahrzehnten noch die Hänge hinabgestürzt sein mussten. Von hier aus konnte er keine Anzeichen von Menschen sehen. Nur schroffe graue Felsen und Schotterlawinen, die sich an einigen unwirtlichen Hängen nach unten ausbreiteten.

Auch Mina stand auf und stellte sich leise neben ihn. Eine Weile betrachteten sie das Gebirge. Ohne etwas zu sagen, wusste auch Mina, was zu tun war.

Sie spürten einen Schatten über sich und zuckten zusammen. Aber es war nur ein Steinadler, der weit über ihnen seine mächtigen Schwingen ausbreitete und lautlos an den Hängen entlangglitt. Die Sonne schien sich in seinem dunkelbraunen Gefieder zu fangen, und sein gefiederter Nacken strahlte golden.

Einige Steinböcke grasten in sicherer Entfernung und zupften sich die Kräuter und Gräser, die zu dieser Jahreszeit noch zu finden waren, sorgfältig aus dem kargen Boden. Vereinzelt versuchten sich junge Tiere in einem halbherzigen Kräftemessen mit ihren riesigen Hörnern, so als ob sie sich die Zeit vertreiben wollten.

„Komm, es geht weiter."

Mina verstaute die Reste ihres Proviants wieder in ihrer Jacke. Instinktiv wählten sie einen Weg, der sich trotz einiger verwirrender Serpentinen direkt dem Gipfel entgegenwand, aus dessen Innerem weiter unten das Wasser strömte.

Langsam näherten sie sich einer trostlosen grauen Gletscherzunge, die sich mit ihren tiefen Furchen aus dem vor ihnen liegenden Gebirge ergoss und unter der ihr Pfad letztendlich verschwand.

Auf dem harten Eis kamen sie auch ohne Pfad erstaunlich gut voran. Die Oberfläche war von grauem Sand und Geröll überzogen, und ihre Schuhe fanden sofort Halt. Nur die tiefen Spalten mussten sie umrunden. Anfangs sprang Than übermütig über die ersten der Einschnitte hinweg. Aber sie wurden immer tiefer, und bald erkannte auch er, dass er Mina und sich nicht unnötig in Gefahr bringen durfte, indem er leichtsinnig einen Sturz riskierte. Außerdem wurden die Einschnitte immer tiefer, je weiter sie bergauf liefen. Das Eis nahm schnell an Dicke zu, und entsprechend tief konnten sie bei einem Sprung über die Risse stürzen.

Than war froh, dass er seine gewachste Jacke anhatte, denn auch der Wind nahm auf der Eisfläche stetig zu. Mina schien ebenfalls gut ausgerüstet zu sein. Ihre entspannten Gesichtszüge verrieten ihm, dass sie nicht allzu sehr unter der Kälte leiden konnte. Fragen wollte er sie nicht. Auf keinen Fall sollte sie merken, dass er sich im Stillen Sorgen um ihr Wohlergehen machte. Schließlich spielte sie falsch und war trotz allem, was er jetzt von ihr kennengelernt hatte, irgendwie doch eine Diebin.

## 15 Gefahr

Eno rannte fast den Hang hinauf. Dass es so leicht sein könnte, Than k.o. zu schlagen, hätte er nie gedacht. Sein leicht errungener Erfolg beflügelte ihn, und er konnte es kaum erwarten, zu den Odonen zu kommen. An seiner Brust trug er einen Brief. Den Brief, den sein Vater ihm mitgegeben hatte.

„Wenn du den ersten Odonen siehst, gib ihm den Brief und lass dich zu ihrem Anführer bringen."

Eno kannte den Inhalt nicht, aber er vertraute darauf, dass das Richtige geschehen würde.

Es war ein Segen für sie, dass Than den Tunnel gefunden hatte und somit endlich eine Verbindung zwischen ihnen und den Odonen. Zu lange hatten sie in der Verbannung ausgeharrt. Aber sein Vater wusste, dass der Tag kommen würde, wenn er auch nicht wusste, wie und wann. Eno war gut vorbereitet.

Nur durch Zufall hatte er gesehen, wie Than in der Höhle verschwand, aus der der riesige Wasserfall sich in die Tiefe ergoss. Erst wollte er ihm folgen und ihn durch das morsche Geländer im Inneren in die Tiefe stürzen. Aber dann besann er sich. Sein Gegner war nicht so einfältig wie die anderen Jungen in ihrem Dorf. Er dachte an das

Erlebnis zurück, bei dem er Than nicht mit in den Schacht gezogen hatte. Than war viel schneller hinter ihm her gestiegen, als er vermutet hatte. Zum Glück. Wer weiß, was ohne sein Eingreifen geworden wäre. Ungern erinnerte er sich daran, wie er ohne Halt zu finden in dem schwarzen Schacht mit seinem Leben gekämpft hatte. Er schämte sich zwar etwas dafür, dass er es nicht aus eigenen Kräften geschafft hatte, an den unversehrten Sprossen Halt zu finden, aber das, was zählte, war, dass er nicht abgestürzt war.

Beim letzten Mal hatte Eno das Glück, dass Than ein gutgläubiger Mensch war, der, auch wenn er Eno sichtlich nicht mochte, trotzdem grundanständig war und ihm half. Aber wer wusste, ob er sich auch dieses Mal auf Thans naive Gutgläubigkeit verlassen konnte? Er war sich fast sicher, dass Than nicht ahnen konnte, zu welcher Seite sein Vater und er hielten, bloß wissen konnte er es nicht. Und auf einen Kampf in der Höhle über dem gigantischen Wasserbecken wollte er es auf keinen Fall ankommen lassen. Also entschied er sich dazu, hinter einer der meterhohen, grobbehauenen Steinsäulen am Ausgang zu warten und Than in einem günstigen Augenblick ohnmächtig zu schlagen.

Und jetzt flog er fast beflügelt bergan und ließ die bewaldeten Wiesen schnell hinter sich. Die langgestreckte Gletscherzunge wies ihm den Weg zur Burg der Odonen, von der sein Vater ihm erzählt hatte. Er wusste genau, was zu tun war. Zu lange hatten sie warten müssen. Jahre, mit denen sein Vater nie gerechnet hatte. Denn ursprünglich gab es eine Vereinbarung. Einen Pakt, den schon sein Urgroßvater mit den Odonen geschlossen hatte. Einen Pakt, der ihrer Familie umfassende Herrschaft über das Tal der Ihmada sichern sollte. Dafür hatten schon sein Urgroßvater und dann auch sein Vater in der alten Gemeinschaft ihres Volkes alles aufs Spiel gesetzt. Über Jahre hinweg hatten sie an geheimen Treffpunkten am Fuße des Gebirgszuges dem Volk der Odonen Informationen zugespielt. Sie hatten ihnen erst ermöglicht, gezielt ein Grubenunglück vorzutäuschen, um Baumeister und Techniker zu entführen. Fachleute, die unter Androhung harter Strafen und dem grausamen Verlust ihrer Familien dazu gezwungen wurden, an dem gigantischen Plan zur Überflutung des Gebietes der Ihmada mitzuarbeiten.

Auf den Lohn für ihre Mühe mussten sie jedoch heute noch warten. Sein Vater hatte ihm erzählt, dass die Flutwelle für Tage später geplant war. Nur deswegen schlossen sich sein Vater und seine Mutter der großen Gruppe zur Suche der begehrten Zapfen und zur Jagd an. Der Gruppe, die heute nicht ganz freiwillig zu ihrer Dorfgemeinschaft geworden war.

Eigentlich, so hatte Tom es ihm erzählt, sollte die Welle nur kurzzeitig das Tal überfluten, um dann, Tage später, so plötzlich, wie sie gekommen war, wieder zu versiegen. Das Land wäre menschenleer und weitgehend intakt gewesen, um sofort von den Odonen besiedelt werden zu können. Und seine Eltern wären als einzige Ihmada am Leben geblieben, um mit ihrer Erfahrung und ihrem

Wissen den Wiederaufbau anzuleiten und die Herrschaft über das Gebiet zu übernehmen. Es musste ein Unglück gegeben haben, dort oben in den Bergen. Denn sonst wären sie schon längst aus den Klauen des reißenden Flusses befreit worden.

Je höher Eno kam, desto mehr Hinweise fand er darauf, dass die Odonen nicht mehr weit sein konnten. Auf einigen Felsen, die an den Seiten aus der Gletscherzunge ragten, standen seltsam aussehende kleine weiße Häuser. Zu klein, um in ihnen zu leben. Das mussten die religiösen Opferstätten der Odonen sein, von denen er über seinen Vater wusste. Die Odonen waren streng gläubig und folgten einem brutalen Opferkult.

Hinter der nächsten breiten Biegung des Gletschers ragte die gewaltige Burg in die Höhe, von der sein Vater ihm berichtet hatte. Zwischen kalten Felsen war sie an einen Hang gebaut, so dass der Fels ihr Schutz vor den unwirtlichen Launen der Natur bot. Bedrohlich ragten ihre Türme vor ihm in die Höhe. Ohne Scheu ging Eno über die weite Ebene auf die Burg zu. Erleichterung machte sich in ihm breit. Sein Ziel war erreicht. Er klopfte auf seine Tasche, wie um sich zu vergewissern, dass die Botschaft seines Vaters an die Odonen noch darin war.

Mina und Than kamen Stunden später zu der Hochebene, an deren südlichen Rand die Burg in den Fels gebaut war. Die einbrechende Dunkelheit kam ihnen gelegen. Auf keinen Fall wollten sie sich den Bewohnern der Burg zeigen. Hinter einem Felsen machten sie Rast, bis die

Sonne hinter den Bergen verschwunden war und die Burg unwirklich und fast einladend im Feuerschein riesiger Fackeln erstrahlte. Ihr Weg führte in einem weiten Bogen um die Festung weiter in Richtung Süden. Östlich der Burg ging die Hochebene in einen weiteren schroffen Gebirgszug über, aus dem die Gletscherzunge, über die sie seit Stunden liefen, entsprang.

Jetzt nahm Than wahr, dass die Erde leicht vibrierte. Er hätte nicht sagen können, wie lange er schon unter seinen schweren Schuhsohlen das leichte Beben und tonlose Brummen auf dem mit Schotter und Steinen übersäten Eis spüren konnte. Aber er wusste, dass dies sein Wegweiser war.

Die Kälte verschärfte sich mit der Dunkelheit, und sie blieben ständig in Bewegung, um ihre Körper nicht unnötig auszukühlen.

Erst als sich die klare Nacht über das Gebirge gelegt hatte, konnten sie ihr Ziel erkennen. Ein schwacher Lichtschein, wie von einem fernen Feuer, schien über den vor ihnen liegenden Bergzügen. Than bewunderte fasziniert und erleichtert den schwachen rötlichen Schein. Seine Vermutung war richtig. Dort hinten geschah etwas, und es musste mit dem Teufel zugehen, wenn bei der fernen Lichtquelle nicht die Ursache der Überflutung zu finden war.

Die Vibrationen auf dem Eis wurden immer stärker, je näher sie an den Gebirgszug kamen. Sie hielten sich trotz der Dunkelheit am Rande der Gletscherzunge, die von meterhohen Geröllbergen flankiert wurde. So konnten sie sich vor fremden Augen schützen. Obwohl Than sich fast sicher war, dass niemand ihre Ankunft erwartete und die Achtsamkeit der Odonen mit den Jahren sicher nachgelassen hatte.

Und dann, hinter dem nächsten Felskamm, sahen sie es.

Eno war erleichtert, als er die Ebene vor der Burg erreichte. Ohne sich Deckung zu suchen, schritt er über das riesige Feld Richtung Burg, die sich vor ihm dunkel und mächtig vor dem dahinterliegenden Gebirge abhob. In der Mitte wölbte sich eine runde Glaskuppel über das Mauerwerk. Sie glänzte unwirklich im fahlen Licht. Vor sich sah er, wie sich aus den Toren des Gebäudes schwarze Schatten lösten. Sie bewegten sich schnell auf ihn zu. Reiter. Der Hufschlag wurde immer lauter, und hinter ihnen stoben Kies und Staub hoch und hüllten alles, was dahinterlag, in eine mächtige Wolke. Kurz vor ihm kamen die Gesandten zum Halt. Selbstbewusst trat Eno ihnen einen Schritt entgegen. Er wusste, er war einer von ihnen. Das hatte ihm sein Vater schon immer gesagt. Sie warteten auf ihn.

Erst als er den Reitern seinen Kopf entgegenreckte, konnte er ihre grausam entstellten Gesichtszüge sehen. Ihn überlief ein Schauer. Mit diesem Anblick hatte er nicht gerechnet. Die Männer vor ihm hatten die Gesichter mit Ruß geschwärzt und mit weißen Mustern verziert, die an ein Gerippe erinnerten. Ihre Wangen waren mit Stöcken durchbohrt. Sie wirkten wie aus der Hölle gesandt.

Wie um Mut zu schöpfen, umklammerte er seine Tasche. Er hatte den Brief dabei. Er würde ihnen erklären, warum er da war. Eno sah noch aus dem Augenwinkel, wie einer der Reiter links vor ihm einen Gegenstand hob und ihm entgegenschleuderte, dann verlor er das Bewusstsein.

Als er wieder zu sich kam, lag er in einer kalten Zelle. Langsam versuchte er aufzustehen. Sein Kopf dröhnte, und als er sich an die Schläfe fasste, spürte er etwas Nasses. Er nahm seine Hand und betrachtete sie ausgiebig. Blut. Er fasste sich noch einmal an die Stirn und befühlte dann seine Haare. Sie waren verklebt. Und dann fiel es ihm wieder ein. Die Odonen. Irgendeiner von ihnen hatte ihn mit etwas beworfen, und er musste ohnmächtig geworden sein. Und das, bevor er ihnen auch nur ein Wort der Erklärung hatte liefern können. Sie mussten ihn in die Burg gebracht haben.

Als er wieder auf den Beinen war, drehte sich der Raum um ihn. Ihm war schwindelig. Seine Knochen taten weh, und mit einem Blick über seinen Körper konnte er feststellen, dass seine Kleidung zerrissen war und der Rest in Fetzen an ihm herabhing. Durch eine kleine, vergitterte Öffnung drang diffuses Dämmerlicht in den Raum und gab ihm ein trostloses Aussehen. Ihm war bitterkalt. Hinter sich hörte er laute, monotone Geräusche aus dem rückwärtigen Teil des Gebäudes. Fast wie ein unwirkliches Kreischen, das sich in seinen Ohren festbrannte. Dazu kamen ein lautes Klopfen und dumpfe Schläge. Seine Zelle musste vor einer Art Werkstatt liegen.

Mit wenigen Schritten durch die Zelle war er am Fenster und konnte nach draußen schauen. Er sah seitlich auf die Burg. Er musste sich in einem Nebengebäude befinden. Mit einem Blick um sich herum erkannte er, dass dieses Verlies und die dahinterliegenden Räume in den Gebirgszug direkt an der Burg gehauen waren. Seitlich türmten sich große Stapel Baumstämme und einige halbfertige Holzskulpturen und Möbel. Hinter ihm musste eine Tischlerei liegen. Vor sich, auf dem Weg, sah er Schleifspuren in dem gefrorenen kargen Gras. Sie hatten sich nicht einmal die Mühe gemacht, ihn hierherzutragen. Kein Wunder, dass ihm sein ganzer Körper schmerzte, als ob er von einer Herde Rinder plattgetrampelt worden wäre.

Er tastete sich mit den Händen an seinem Körper herab. Seine Tasche. Sie fehlte. Ein zweiter Blick aus dem Fenster seines Kerkers bestätigte ihm, dass sie nicht draußen auf dem Weg verloren gegangen war. Ihm wurden die Knie weich. Ohne die Tasche und seinen Brief konnte er die Odonen nicht so leicht davon überzeugen, dass er zu ihnen gekommen war, um endgültig das Land der Ihmada einzunehmen. Verzweifelt schaute er sich in der Zelle um. Sein Blick blieb neben einer grobgezimmerten Tür gegenüber dem Fenster hängen. Erleichtert atmete er auf. Dort lag sie. Zwar etwas mitgenommen, aber noch immer intakt. Mühsam humpelte er zu ihr und hob sie auf. Wie ein Baby presste er sie an die Brust, dass es ihn schon schmerzte, und schloss die Augen. Eine Welle der Erleichterung durchfuhr ihn. Jetzt würde alles gut.

Erschöpft von den Anstrengungen setzte er sich in eine Ecke, und trotz der Kälte und dem eisigen Boden fielen ihm die Augen fast sofort wieder zu.

Er wurde von einem lauten Klappern geweckt. Irgendjemand machte sich an seiner Kerkertür zu schaffen. Ein knarzendes Geräusch, Metall auf Metall, sagte ihm, dass seine Tür geöffnet wurde. Eno wurde klar, dass er in seinem Schockzustand nicht einmal versucht hatte, sie zu öffnen. Jetzt wusste er, es wäre sowieso sinnlos gewesen.

Der Mann, der vor ihm stand, war kaum als solcher zu erkennen. Er konnte eine der gruseligen Gestalten vom Vortag sein, wenigstens sah er ihnen zum Verwechseln ähnlich. Nur fehlte bei ihm das rußverschmierte Gesicht mit den weißen, gerippeartigen Ornamenten. Vielleicht hatte er sich zwischenzeitlich gewaschen, überlegte Eno. Aber selbst jetzt sah er nicht viel besser aus. Die Haut war dunkelbraun und ledrig. Die Gesichtshaut war geschwollen und deformiert, so als ob ihm jemand die Gesichtszüge zerquetscht hätte. Große Löcher in den Wangen, die von runden Metallringen offen gehalten wurden und einen Blick auf das Innere seines Mundes und eine verfaulte Zahnreihe frei gaben, machten den Anblick nicht appetitlicher.

„Aufstehen!", fuhr ihn die Gestalt an und stieß ihm grob mit einem Fuß in die Seite. Eno zuckte zusammen und bemühte sich, schnell hochzukommen, um einen weiteren Tritt zu vermeiden. Er torkelte kurz vor Schmerzen, aber dann stand er, leicht gekrümmt, vor dem Mann. Der legte ihm blitzschnell Ketten um beide Hände. Eno schaute ihn verblüfft an. Er war gefesselt.

„Meine Tasche …", stammelte er und versuchte auf die Stelle zu seinen Füßen zu deuten, an der sie lag. „Ich brauche sie."

Ohne auf ihn zu hören, ging der Mann voraus und zog ihn an den Ketten hinter sich her.

„He, meine Tasche!", versuchte Eno es noch einmal lauter.

Der Mann drehte sich kurz um und stieß ihn grob an, so dass er fast das Gleichgewicht verlor. „Komm!", knurrte er, was sich durch die offenen Wangen fast wie ein tierischer Laut anhörte.

Eno ergab sich seinem Schicksal. Denn er wusste, seine Tasche war in der Zelle, und egal, was diese Leute von ihm wollten oder von ihm dachten, sobald er von dem Brief erzählte, würde sich das Missverständnis aufklären. Er trottete den kurzen Weg zur Burg hinter dem Odonen her.

Than versuchte in dem roten Schein das Treiben vor ihm zu erfassen. Langsam konnte er in dem geschäftigen

Gewusel ein System ausmachen, eine klare Ordnung, einen stabilen Arbeitsablauf, darauf ausgerichtet, das Land seines Volkes kontinuierlich zu überfluten.

Von oben starrten Than und Mina auf eine riesige Fläche, die von dem Schein von Glut und Feuer gespenstisch in rötliches Licht getaucht war. Unzählige Menschen bewegten sich unter ihnen. Einige in Gruppen, einige alleine. Than und Mina brauchten eine Weile, um sich an das vor ihnen liegende Szenario zu gewöhnen und zu begreifen, was vor ihnen lag. Die ausgedehnten Eisfelder des Gletschers wurden von Tausenden von Arbeitern abgetragen und auf großen Wagen zu einem Krater gezogen, der am Rande der Hochebene lag. Dort kippten sie die Ladungen in das glühende Loch, aus dem als Antwort mit kurzer Verzögerung ein Dampfstrahl schoss.

Than schüttelte vor Staunen den Kopf. „Was will Eno hier?", sagte er mehr zu sich selbst als zu Mina, die hinter ihm stand.

„Ich glaube nicht, dass wir Eno hier finden", antwortete sie gepresst.

„Nein?"

„Sicher nicht."

„Warum bist du dir da so sicher?"

„Eno ist bei der Burg."

„Wieso?"

„Deswegen." Mina zog etwas aus ihrem Mantel und tippte ihm damit auf die Schulter.

Than drehte sich um und sah erstaunt, dass Mina einen dicken Umschlag in der Hand hielt. Ursprünglich war er mit einem breiten Wachssiegel verschlossen, dessen Reste noch deutlich zu erkennen waren. Trotz des Lichtscheins konnte Than nicht erkennen, was auf dem Umschlag stand.

„Woher hast du das? … Und, was ist das?", setzte er nach.

„Ein Brief."

„Das sehe ich. Woher hast du den?"

Mina trat von einem Fuß auf den anderen und fühlte ich sichtlich unwohl.

„Mina. Woher kommt der Brief?"

Than griff nach dem Umschlag und zog mehrere dicht beschriebenen Lagen Papier heraus. Er hielt sie direkt vor seine Augen, konnte aber nicht lesen, was darauf stand. Er wedelte vor ihren Augen mit dem Papier.

„Mina, was ist das? Woher hast du …?" Und dann verstand er, auch ohne dass sie etwas sagte. „Du hast Eno den Brief gestohlen?", fragte er ungläubig.

Sie sagte noch immer nichts und starrte beschämt zu Boden.

„Wann?"

Mina konnte ihm noch immer nicht in die Augen schauen und zog mit ihrem Fuß kleine Kreise auf dem verschneiten Boden. „Eno hat eine Pause gemacht. Draußen, vor dem Wasserfall. Er ist kurz eingeschlafen."

Than schüttelte den Kopf. Er ahnte auch ohne in der Dunkelheit lesen zu können, was in dem Brief stand. Und Eno war nur der Bote. Der Brief musste von Tom kommen.

„Diese Verräter", entfuhr es Than. Er ballte beide Fäuste vor Wut, obwohl er schon geahnt hatte, dass an Minas Worten bei ihrem Kennenlernen etwas Wahres war. Er musste sich zwingen, seinen Blick wieder auf das Treiben vor ihnen zu richten, denn Wut würde sie nicht weiterbringen. Jetzt mussten sie schnell und klug handeln und brauchten einen kühlen Kopf.

„Mina, was siehst du?" Than war sich nicht sicher, ob er das, was er sah, wirklich verstand.

Mina ging ein paar Schritte an ihm vorbei und zählte leise auf. „Also ich sehe eine Heerschar von Menschen, Tiere, eine Art Transportsystem. Es sieht aus, als ob etwas herantransportiert wird."

„Meinst du, es ist Stein?"

„Nein, es muss Eis aus den höher gelegenen Teilen des Gletschers sein. Es dampft, wenn die Blöcke in die

Öffnung in der Erde fallen. Es ist Wasserdampf."

„Was sind das für Leute? Odonen?"

„Ich weiß es nicht. Aber ich vermute, dass es die Menschen sind, die auf der anderen Seite des Gebirgskamms lebten. Meine Tante hat davon erzählt. Sie wurden schon lange vor der Flut von den Odonen versklavt. Ich glaube nicht, dass die Odonen selber hier draußen so hart arbeiten."

Than schaute genauer auf eine Szene unter ihnen, in der ein kleiner Tumult ausgebrochen war. Einer der Arbeiter war zusammengebrochen und wurde von einem großen, bulligen Mann ausgepeitscht und gezwungen, wieder auf die Beine zu kommen. Der Mann brach immer wieder entkräftet zusammen. Seine Kameraden wollten ihn stützen, wurden aber von den Aufsehern zur Seite gezogen. Nachdem er immer und immer wieder in sich zusammensank, packte der bullige Mann, der wohl einer der Aufseher war, den Mann im Nacken und zog ihn an seinem Kragen zum großen Krater in der Erde. Mit einem Tritt beförderte er ihn über den Rand des Loches.

Than krümmte sich zusammen und übergab sich genau dort, wo er stand. Mina legte ihm eine Hand in den Nacken und stand einfach nur neben ihm, bis sich sein Magen etwas beruhigt hatte. Sie wirkte deutlich gefasster.

„Es ist nur …", stammelte Than und versuchte sich zu erklären, „ich habe so etwas noch nie gesehen. Diese

Grausamkeit."

„Schon gut. Lass uns einfach nur vorsichtig sein mit dem, was wir tun."

Mina löste ihre Hand von ihm und trat wieder nach vorne, um besser sehen zu können, was dort unten weiter vor sich ging. Es gab keinen Tumult. Alle weiteren Leute schienen so weiterzuarbeiten wie zuvor. So, als ob es diesen Vorfall gar nicht gegeben hätte.

„Mina, was passiert hier?" Auch Than trat wieder etwas nach vorne, diesmal aber noch vorsichtiger und bemüht, sich nicht aus der Deckung zu bewegen, die ihnen die Felsen boten. „Bauen sie wirklich das Eis ab und schmelzen es in diesem Loch?"

„Hmmm?!" Ihre Antwort war ein unschlüssiges Brummen.

„Ja?"

„Ich weiß nicht."

„Ich auch nicht", schloss sich Than ihr an. Obwohl sich irgendetwas verborgen in seinem Unterbewusstsein regte und ihm sagte, dass ihn diese Szene an irgendetwas erinnerte. „Sie schmelzen wirklich das Eis. Hier arbeiten Tausende von Menschen. Sieh nur." Er zeigte weiter hinauf ins Gebirge, entlang des noch intakten Gletschers.

Auch Mina konnte es sehen. Auf breiten Pfaden zogen Esel und Rinder lange Schlitten mit gewaltigen grauen

Blöcken. Daneben gab es riesige Rohre, durch die gewaltige Wassermassen strömten und die direkt in dem rotschimmernden Krater verschwanden.

„Das ist das Wasser. Die Flut. Das Wasser, das unser Land untergehen lassen hat. Schau dir nur die Mengen an."

Auch Mina erkannte, dass sie hier auf den Ursprung, den Auslöser der Überschwemmung ihres Tals gestoßen waren. „Ja, hier ist es wohl. Und was machen wir jetzt?", fragte sie ratlos.

Than überlegte. Irgendwie erinnerte ihn die Konstruktion im Gebirge an etwas, das er vor langer Zeit gesehen hatte. Er hatte das Gefühl, die Lösung läge direkt vor seinen Augen, aber er kam nicht darauf.

„Lass uns von hier fort, Mina."

„Und dann?"

„Ich weiß es noch nicht. Aber hier können wir nichts ausrichten. Schau dir das Treiben da unten an. Wir sind zu zweit. Wir haben keine Chance. Wir können nur froh sein, dass die Odonen sich in Sicherheit wiegen und hier keine Wachen sind. Wenn sie uns entdecken sollten, dann landen wir genauso in diesem Loch und verdampfen wie der Arbeiter eben."

Mina musste ihm recht geben, obwohl sie sich nur schwer von dem Blick nach unten lösen konnte. Sie hatte das ganze System noch nicht so schnell erfasst wie Than und war sich unsicher, ob es hier oben nicht doch eine Möglichkeit für sie gab, etwas auszurichten.

Sie trottete Than hinterher. „Und wohin willst du jetzt?"

„Ich weiß es nicht."

„Was willst du denn?"

„Keine Ahnung. Ich habe das Gefühl, ich wüsste die Lösung irgendwo in mir, aber ich komme nicht darauf. Lass uns hier aus der Gefahrenzone heraus und wieder etwas bergabwärts gehen, vielleicht fällt es mir dann ein."

Plötzlich schrie Mina hinter ihm: „Ein Follot! Than! Pass auf!"

Da spürte Than auch schon, dass ihn etwas am Hals packte. Scharfe Krallen schlugen sich in sein Haar und rissen seinen Kopf zurück. Er starrte direkt in die gefühllosen Augen eines riesigen Follots. Sein fauliger Atem blies ihm direkt ins Gesicht. Thans Augen brannten von dem beißenden Gestank. Der Vogel machte ein paar hackende Bewegungen in Richtung seiner Augen. Than versuchte panisch, mit beiden Händen die Krallen von seiner Kopfhaut zu lösen, aber sie hielten ihn wie Schraubzwingen in einem eisigen Griff.

„Mina! Lauf weg!" Than nahm seine Tasche und schlug sie über sich, wo er den Kopf des Follots vermutete. Aber der krallte ihn nur umso fester. „Mina! Lauf!", rief er noch einmal und versuchte, sich nach hinten zu drehen, wo er sie vermutete. Dann nahm ihm der Schmerz die Luft zum Atmen. Die Krallen schnitten ihm so tief in den Kopf und pressten ihn zusammen, dass er meinte, sein Schädel würde gleich platzen. Noch einmal versuchte er, den Vogel mit seiner Tasche zu schlagen. Aber der wich geschickt aus, ohne den Griff zu lockern.

Than stolperte ein paar Schritte vorwärts. Erst schien es, als ob der Follot ihn durch die unvermutete Bewegung vor Überraschung aus seinen Fängen ließ. Aber dann spürte er wieder den unerträglichen Druck der Krallen an seinem Kopf. Es knisterte hinter ihm. Um ihn herum breitete sich ein widerlicher Geruch nach fauligem Fleisch und Fisch aus. Aus den Augenwinkeln sah er, wie der Follot seine mächtigen Flügel spreizte. Um ihn herum wurde es dunkel. Die Schwingen des Vogels verdeckten den Himmel.

„Er will mit dir weg! Los, wehr dich!" Minas schrilles Kreischen drang nur gedämpft an sein Ohr.

Wieder schwang er seine Tasche mit aller Kraft gegen das Tier. Aber er traf nur ins Leere. „Das war's dann wohl", dachte Than. Vor seinem inneren Auge zog sein Leben vorbei. Seine Kindheit. Die Übungskämpfe mit seinem Vater. Ihre gemeinsamen Abende, die Entdeckung des Tunnels und zum Schluss das Gesicht von Mina. Warum war er nicht auf ihrer Insel geblieben? Oder dem Plateau? Plötzlich schien ihm das durch die steigende Flut begrenzte Dasein weitaus attraktiver als der sofortige

Tod durch einen Follot. Ließen sie nicht ihre Beute aus großer Höhe auf Steine fallen, um ihre Opfer zuverlässig zu töten?

Gerade als er merkte, wie er die Besinnung verlor, hörte er ein lautes Stöhnen über sich. Die Krallen lockerten sich ein wenig, und er hörte Mina rufen.

„Geh weg, er fällt sonst auf dich drauf!"

Than sprang mit einem großen Satz zur Seite. Gleich darauf fiel der schwere Körper des Follots neben ihn und blieb regungslos liegen. Daneben stand Mina. Sie hatte sein Messer in der Hand. Das, was ihm fehlte seit ihrem Gespräch im Garten. Die Klinge war blutverschmiert.

„Bist du verletzt?", fragte sie ihn mit zitternder Stimme.

Er betastete seinen Kopf, konnte aber kein Blut spüren. Mechanisch schüttelte er den Kopf. „Danke!", würgte er hervor.

Unruhig wanderten sie über die breite Gletscherzunge zurück. Über den Vorfall verloren sie kein Wort mehr. Than war noch immer von dem Angriff schockiert und fragte sich immer wieder, wie er den gefährlichen Vogel hinter den Felsen übersehen konnte. Ganz still hatte der wohl schon länger auf ihre Ankunft gewartet, um sie zu überfallen.

An einem kleinen Opfertempel am Rande des Weges hielt Mina an. „Lass uns hinlegen, Than. Ich kann nicht mehr. Ich bin müde, ich bin verwirrt von dem, was ich gesehen habe, meine Beine tun weh vom Wandern und mir ist kalt."

Than ging es ähnlich. Sie suchten in dem nach Verwesung riechenden einfachen Steinbau Schutz und schliefen bald aneinandergelehnt ein.

Am nächsten Morgen erwachten beide mit dem Sonnenaufgang. Sie hatten nur wenige Stunden geschlafen, aber die Kälte zwang sie zum Aufstehen. Than brauchte etwas, um sich daran zu erinnern, wo sie waren. So sehr hatte ihn sein nächtlicher Traum gefangen genommen, in dem er Kind war und voller Abenteuerlust die Insel seiner Familie erkundete.

Minas Wachsamkeit schaltete sich sofort wieder ein: „Wir sollten aufpassen. Jetzt, wo wir wissen, wie nah die Odonen sind und wie brutal, sollten wir tagsüber kein Risiko eingehen, gesehen zu werden. Lass uns hier etwas warmhalten und erst weitergehen, wenn wir merken, dass die Luft rein ist und tagsüber keiner hier vorbeikommt."

„Hmmm."

„Was ist los, schläfst du noch?" Sie knuffte ihn energisch in die Seite.

„Schön wär's." Than musste grinsen, als er an das wohlige Gefühl von Geborgenheit dachte, das ihn in seinem Traum begleitet hatte und jetzt noch immer wie ein Mantel um ihn herum lag. „Ich habe von früher geträumt. Unser Leben, bevor die Follots kamen und die Flut stieg."

„Erzähl mir davon. Wie war es bei euch?" Mina sah ihn beim Sprechen nicht an, sondern lugte vorsichtig aus einer kleinen Lüftungsscharte, die in den primitiven Bau eingesetzt war und ihr den Blick nach draußen freigab, ohne dass sie gesehen wurde.

Than begann zu erzählen. Von seiner Kindheit, den Eltern und dass er lange gar nicht geglaubt hatte, dass es außer ihnen noch Menschen geben könnte. Ab und zu löste er Mina ab und spähte hinaus. Dann begann sie zu erzählen. Von ihrer Mutter, die starb, als sie zehn war. Von ihrer Tante, die sich eigentlich von dem Dorf losgesagt hatte, aber seither jede Nacht kam, um Mina zu besuchen und für sie da zu sein.

„Wir leben eigentlich nachts, und kurz bevor es hell wird, verschwindet sie wieder aus dem Dorf. Sie weiß zu viel über Tom und hat Angst, dass er sie tötet, wenn er merkt, dass meine Tante anderen etwas erzählen könnte. Deswegen lebt sie so zurückgezogen und vermeidet jeden Kontakt."

Than fiel wieder ein, wie er vor wenigen Wochen in ihrem halbfertigen Haus am Rande des Dorfes übernachtet hatte, nachdem er von seinen letzten Ausflügen durch den Tunnel zurückgekommen war.

„Das waren deine Tante und du, die Schatten, die ich

nachts am Fenster gesehen habe in deinem Haus?"

Mina nickte freudig.

„Dann habt ihr mir die Decken gebracht in der einen Nacht?"

Mina nickte wieder.

„Meine Tante ging gerade los, als sie aus eurem Bau ein Geräusch hörte. Du musst wohl schlecht geträumt haben und nach einem Augenblick des Schrecks, denn sie konnte ja nicht ahnen, dass du es warst, der dort schlief, lief sie zurück zu mir und bat mich, ihr ein paar Decken für dich zu geben. Ich habe dann morgens immer wieder herausgeschaut und gewartet, bis du wieder gegangen bist. Ich dachte, ich hole die Decken wieder zurück, bevor sie dort liegen bleiben und dein Vater oder Tom Fragen stellen."

„Kluge Mina", sagte Than anerkennend.

Mina lächelte. Sie öffnete den Brief, den sie Eno geklaut hatte. Der Absender war Tom und er bat die Odonen, seinen Sohn, den Überbringer des Briefes, bei sich aufzunehmen und die Fluten zu stoppen. Er hätte den kläglichen Rest der Ihmada soweit unter Kontrolle, dass das Land wieder vom Wasser freigegeben werden könne. Dann gab es noch seitenweise Auflistungen, was Tom alles versprochen worden war und wie er sich die Zusammenarbeit mit den Odonen vorstellte. Schweigend falteten sie den Brief wieder zusammen und legten ihn zur Seite.

Langsam brach die Dämmerung herein, und Than war froh, dass sie bald wieder aufbrechen konnten, auch wenn er nicht wusste, wohin sie gehen sollten. Aber hier in der Kälte festzusitzen wie in einem Gefängnis, das lag ihm noch weniger, als einfach in Bewegung zu sein.

„Ich bekomme langsam Hunger. Wir sollten etwas essen, bevor wir wieder losgehen."

Than kramte in seiner Tasche nach den letzten Stücken Käse. Mina zog ihren Mantel etwas auf und suchte nach den Resten des Brotes in ihren Taschen. Dabei fiel etwas leise klirrend zu Boden. Than schaute erstaunt auf das Geräusch. Mina starrte ihn wie ertappt an und bückte sich schnell, um den verlorenen Gegenstand wieder aufzuheben. Aber Than kam ihr zuvor und schob seinen Stiefel über den Fund.

„Mina, was ist das?" Sein Tonfall klang drohender, als er eigentlich wollte.

Aber er hatte ihren Blick aufgefangen, als es auf dem Boden klirrte, und darin erkannte er, dass sie sich ertappt fühlte. Than war unschlüssig. Hatte Mina wieder etwas geklaut? Von ihm? Während sie beide sich so viel näher gekommen waren? Er wusste nicht, ob er es wirklich wissen wollte. Einen Augenblick zögerte er, aber dann siegte seine Wahrheitsliebe. Er bückte sich und zog den fallen gelassenen Gegenstand darunter hervor. Mina stand währenddessen beschämt neben ihm und starrte auf einen Fleck auf den Boden.

Than hielt einen metallischen Gegenstand in seinen Fingern. Erleichtert stellte er fest, dass er den Fund noch nie zuvor gesehen hatte. Das Metall glänzte, wie frisch poliert, und war fünfeckig, etwas größer als eine Münze. Die Form kam ihm entfernt bekannt vor. Er atmete aus. Deutlich freundlicher fragte er noch einmal: „Mina, was ist das?"

Sie hob, ermutigt durch seinen freundlicheren Tonfall, den Kopf. Aber in ihren Augen sah er schon, dass sie dieses Stück geklaut hatte. Überrascht fragte sie: „Das weißt du nicht?"

„Nein, woher? Ich habe das Ding noch nie gesehen."

„Nicht?"

„Nein, natürlich nicht. Woher hast du es?"

Mina zögerte mit ihrer Antwort. Er sah, wie sie innerlich mit sich rang.

„Von deinem Vater."

Jetzt war Than an der Reihe, überrascht zu gucken.

„Von meinem Vater?"

„Ja. Er trug es bei sich." Jetzt senkte Mina wieder beschämt den Blick, fuhr aber mit den Erklärungen fort: „Ich dachte, es wäre sein Talisman, ein Glücksbringer, irgendetwas von Bedeutung. Ich habe es ihm genommen."

Than nahm das kleine Stück Metall nochmal näher vor sein linkes Auge und betrachtete es genauer im schwindenden Licht. „Ich kenne so etwas in der Art. Aber anders."

Unangenehme Erinnerungen stiegen in ihm hoch, als er an seine frühen Ausflüge und Versteckspiele in ihrem Wasserspeicher dachte und an das jähe Ende, das sein Vater seinem Treiben mit einer Tracht Prügel setzte. Fast hätte er sich in der Erinnerung verloren, aber dann durchzuckte ihn die Erkenntnis wie ein Blitz.

„Mina!", rief er. Fast stürmisch umarmte er sie. „Ich hab es. Du hast mich darauf gebracht. Ich weiß jetzt, was wir tun müssen."

Verständnislos und wie unter Schock starrte sie ihn an. „Du, du bist mir nicht böse?"

„Nein, nein", jubelte Than, hob Mina hoch und wirbelte sie durch die Luft, wobei ihre Beine an die Mauern des kleinen Raumes stießen und die Drehung immer wieder bremsten.

„Das ist die Lösung. Ich weiß nicht, wieso, aber ich kenne die Lösung." Aufgeregt setzte er sie wieder auf den Boden und hielt ihr die fünfeckige Münze vor das Gesicht. „Mina, sie haben eine Schleuse. Sie haben sicher eine Schleuse. Ich kenne das System, aber ich weiß nicht, wieso sie es haben. Es ist alt, es ist auch auf unserer Insel und ich weiß, wonach wir suchen müssen."

Aufgeregt berichtete Than der verblüfften Mina davon, wie er auf ihrer Insel das stillgelegte unterirdische Wasserbecken entdeckt hatte, das mit einem zweiten natürlichen Becken durch ein Schleusentor getrennt werden konnte.

„Ich habe dort als Kind gespielt. Irgendwo hier muss es eine Verbindung zwischen dem riesigen Krater geben, in dem das Eis geschmolzen wird, und der zweiten Höhle, in der ich schon war. Irgendwo muss über der Erde ein Mechanismus zu bedienen sein, der das Schleusentor schließt. Denn sonst hätte es ja gar nicht so plötzlich die Flut geben können."

Mina schaute nur fragend, sie verstand noch immer nicht genau, worauf Than hinauswollte.

„Mina, meine Eltern, deine Leute im Dorf, deine Tante, sie alle haben uns doch immer wieder erzählt, wie plötzlich die Flutwelle kam. Aber schau mal, wenn die Odonen schon damals so wie jetzt gearbeitet haben, dann wäre das Wasser am Anfang nur langsam gestiegen. Es hätte niemanden vernichtet. Der Fluss im Tal wäre langsam angeschwollen und alle wären verwundert gewesen, aber hätten noch genug Zeit gehabt, sich und ihr Hab und Gut etwas oberhalb in Sicherheit zu bringen. Die Flutwelle kam jedoch plötzlich, aus dem Nichts. Nur ein Beben und Grollen war durch die freigesetzten

Massen zu spüren. Irgendein Mechanismus muss die beiden unterirdischen Becken voneinander abgeschottet haben. Wenigstens so lange, bis genug Eis zusammengetragen und geschmolzen war, um die Flut auszulösen. Warum bin ich nur nicht schon früher darauf gekommen?"

Jetzt verstand Mina. „Klar, wir suchen die Mechanik, und ich ahne auch schon, wo."

„Ich auch." Während er erzählte, hatte Than überlegt, wie weit er in die Höhle hinter dem Wasserfall gehen konnte und wo ungefähr überirdisch das Schleusentor lag. Es musste direkt in der Burg sein.

Inzwischen war es stockduster draußen, und die beiden schlichen sich vorsichtig aus ihrem Versteck. Die Gelassenheit und Unbeschwertheit vom Hinweg war verschwunden, seit sie den Krater entdeckt hatten.

Sie bewegten sich leise über den breiten Gletscher und kamen bald zu der großen Ebene, an deren Ende sich die Burg vor einem weiteren Gebirgszug auftürmte. Im fahlen Licht des fast vollen Mondes sahen die Burganlagen fast einladend aus. Die Fenster im Hauptteil des Gebäudes waren hell erleuchtet, und ein gelber Schein breitete sich vor ihnen aus und tauchte auch das umliegende Mauerwerk in ein warmes Licht. Die scharf gezackten Berge hingegen wirkten bedrohlich und kalt.

## 16 Die Burg

Die Gänge der Burg waren mit Statuen aus Holz und Stein
gesäumt. Ihre irren Fratzen grinsten herzlos auf ihn
hinab. Eno versuchte sich darauf zu konzentrieren, dass
er einer von ihnen war. Sonst hätte ihn die Angst
überwältigt. Sie gingen durch einen Seiteneingang und
gelangten in einen schmalen Gang, der sich verzweigte
und dann wieder breiter wurde. Ab und zu hörte Eno
dumpfe Geräusche, wie ein Klopfen, das den Boden unter
seinen Füßen vibrieren ließ. Plötzlich standen sie vor
einem großen Innenhof, in dessen Mitte eine riesengroße
Konstruktion über mehrere Stockwerke in den Himmel
ragte. Darüber musste die Glaskuppel liegen, die er
bereits beim ersten Anblick des Bauwerks gesehen hatte.

Er wurde seitlich an dem Innenhof entlanggeführt und
versuchte sich auf das Gespräch zu konzentrieren, das
vor ihm lag. Dann wurde er plötzlich von seinem
Aufseher in einen Saal gestoßen. Rechts und links drang
kaltes Licht durch die hohen Fenster. Staub wirbelte
umher und nahm ihm die Sicht nach vorne. Erst kurz
bevor ihn sein Begleiter am Arm packte und festhielt,
konnte er den gewaltigen Thron vor sich erkennen. Auf
ihm saß ein unförmiger Mensch mit deformierten
Gesichtszügen, so als ob man ihm als Kind bei der Geburt
das Gesicht mit einer Zange entstellt hätte. Um ihn

herum standen ähnlich anmutende Gestalten.

Eno lief ein eiskalter Schauer über den Rücken. Das war sein wahres Volk? Er dachte voller Sehnsucht an seine Dorfgemeinschaft auf dem Plateau und die vielen friedvollen Gesichter der Ihmada, in die er Tag für Tag blickte. Dass Menschen von Natur aus so grob und grausam aussehen konnten, war ihm bis zu diesem Tage nicht bewusst gewesen.

Eingeschüchtert blickte er auf den Boden vor ihm. Er betete innerlich, dass er schnell das Missverständnis aufklären könnte, sie den Brief aus seiner Tasche holen und lesen würden. Alles würde sich auflösen. Aber anders, als sein Vater ihm aufgetragen hatte, würde er sofort von hier verschwinden, sobald er wieder frei war.

Mit knarzender Stimme, die wie eingerostet klang, brüllte der Mann, der auf dem Thron saß: „Wer bist du?"

„Äh … einer, einer wie … ihr …!" Eno versuchte sich zu erklären. Vor Aufregung fand er nicht die richtigen Worte, und seine Stimme überschlug sich. Ungeduldig schubste ihn sein Aufpasser an. Er begann atemlos zu erzählen.

Seine Geschichte schien den Odonen nicht zu beschwichtigen, ganz im Gegenteil, Eno hatte das Gefühl, dass er immer wütender wurde. Schließlich gab er seinem Begleiter ein Zeichen, und Eno wurde wieder grob am Arm gepackt und weggeführt.

Er konnte es kaum glauben. Diese Begegnung lief komplett anders, als er es vermutet hatte. Sie waren nicht seine Freunde, und er wurde nicht als ein Nachkomme der Familie angesehen, die für die Odonen zukünftig das Volk der Ihmada im Tal beherrschen sollte. Das konnte nicht sein. Noch einmal versuchte Eno sich umzudrehen und rief über seine Schulter in Richtung Thron: „Ich habe einen Brief dabei. Von meinem Vater. Schaut in meine Tasche. Sie liegt im Kerker."

Er wurde grob vorangestoßen.

„Halts Maul", raunzte der Aufseher ihm zu.

In seiner Zelle stolperte er als Erstes zu seiner Tasche und flehte seinen Begleiter an zu warten. Aufgeregt kramte er mit gefesselten Händen so gut es ging nach dem versiegelten Briefumschlag. Nach und nach flogen Essensreste, Zunder, Feuerstein, eine Rolle Tau, ein Beutel mit Wasser und eine kleine Glasleuchte auf den Boden. Das Glas der Lampe zersprang auf dem harten Stein sofort in tausend Stücke, und die Splitter verteilten sich in der Zelle.

Aber Eno nahm das kaum wahr. Tränen der Wut und Verzweiflung kamen in ihm hoch. Und er musste mehrmals hart schlucken, um den Kloß, den er plötzlich im Hals hatte, zu unterdrücken. Ihm war plötzlich, als ob ihm jemand den Boden unter den Füßen weggezogen hätte. Eno musste sich regelrecht dazu zwingen, sich zu seinem Wächter umzudrehen. Aber der war schon verschwunden und hatte unbemerkt die Zelle hinter sich verschlossen.

Mit einem Mal wurde Eno das ganze Ausmaß seiner Lage bewusst. Er saß hier in einer kalten Zelle ohne eine Menschenseele, ohne Essen, Trinken oder auch nur irgendjemanden, der ihm vertraut war.

Er kauerte sich in eine Ecke, die von den Glasscherben verschont geblieben war, und stützte seinen Kopf in die gefesselten Hände. Der Hunger nagte an seinem Magen. Er dachte an sein Zuhause, an seine Mutter und daran, dass er sie vielleicht nie wieder sehen würde. Wieder schossen ihm Tränen in die Augen, und diesmal sah er keinen Grund, sie herunterzuschlucken, und ließ ihnen freien Lauf.

Er weinte um seine Mutter, um das Dorf und um die Ihmada. Ihm wurde klar, dass er mit seinem Auftrag allen etwas Schlechtes angetan hätte. Dann dachte er an seinen Vater, an die Geschichten, die er schon von klein auf von ihm gehört hatte. Die Geschichten, die ihr Geheimnis waren und die er seiner Mutter nicht erzählen durfte. Die Geschichten, in denen sein Vater, ausgewählt von den Odonen, die Herrschaft über das Land der Ihmada und über ihr Volk übernehmen würde. Eno hatte sich das in seiner Phantasie alles ganz anders ausgemalt. Einfach. Und er war sich so sicher, dass sein Vater ihm die Wahrheit erzählte. Er hatte sich auch schon in ihrem Dorf als zukünftiger Herrscher gesehen und auf alle anderen herabgeschaut.

Seine Tränen wurden heftiger. Jetzt weinte er nicht mehr aus Einsamkeit und Traurigkeit, sondern aus Wut. Denn ihm wurde langsam klar, dass sein Vater ihn benutzt hatte. Benutzt, um selbst sicher auf dem Plateau bleiben zu können. Vielleicht hatte er sogar von Anfang an geahnt, dass die Odonen gar nicht auf sie warteten? Vielleicht hatte er ihn opfern wollen, um sich selbst zu schützen?

Irgendwann schlief Eno in seiner unbequemen Position ein und nahm sein Selbstmitleid mit in seine Träume.

Mitten in der Nacht wurde er von einem Rascheln geweckt. Erst dachte er, eine Schneemaus hätte sich in seine Zelle verirrt. Ihm fielen die zahlreichen Scherben von der zerbrochenen Lampe ein. Er lauschte, ob er einen Schmerzenslaut hören konnte. Einen kurzen Augenblick überlegte er, ob er schon so hungrig war, dass er sie so roh verspeisen würde. Aber allein die Vorstellung brachte ihn zum Würgen.

Aber bei genauerem Hinhören wurde ihm klar, dass die Geräusche von außen kamen. War das ein leises Flüstern? Er stellte sich auf die Zehenspitzen und versuchte, durch die Luke zu gucken. Aber die dicken Mauern versperrten ihm den Blick direkt nach unten.

Dann huschten zwei Schatten über den vom Mond beschienenen Vorplatz zum Seiteneingang der Burg, durch den er noch vor wenigen Stunden geführt worden war. Er meinte, Minas schlanke Gestalt zu erkennen und neben ihr Than. Aber konnte das sein? Ungläubig stierte er nach draußen. Aber es mussten die beiden sein. So geschickt und katzengleich wie die beiden bewegte sich kein Odone.

Erst wollte er auf sich aufmerksam machen und rufen, aber da waren sie schon durch die schwere Tür im Inneren verschwunden. Einen Augenblick meinte Eno, sein Verstand würde ihm einen gemeinen Streich spielen. Aber dann erinnerte er sich, wie neugierig Mina von Natur aus war. Vielleicht war sie ihnen gefolgt? In ihm keimte ein Funken Hoffnung auf. Mina hatte er nie etwas getan, vielleicht mochte sie ihn sogar? Wenn Mina da war, dann bestand eine reelle Chance darauf, dass sie notfalls Than überreden würde, ihn zu befreien. Ihm fiel ein, wie gemein er zu Than gewesen war. Voller Reue und Schuldbewusstsein dachte er daran, wie sehr er die Odonen unterschätzt hatte.

Und jetzt waren vielleicht Mina und Than die einzigen, die ihn vor den grausamen Gestalten retten konnten. Er musste beobachten, was sich draußen tat. Und sobald er Minas Schatten noch einmal verbeihuschen sah, würde er sie leise rufen.

Mit neugefasstem Optimismus hielt er sich am Fensterrahmen fest und wartete darauf, dass die beiden zurückkamen.

Mina und Than hatten Glück. Sie hockten kurz vor einem steinernen Nebengebäude hinter einer Reihe aufeinandergestapelter Baumstämme und beratschlagten sich.

Der Haupteingang der Burg bot sich ihnen zwar an, aber sie wussten, dass ihre Ankunft so kaum geheim bleiben würde. Eher durch Zufall sahen sie einen untersetzten Mann mit entstelltem Gesicht und unnatürlich geformtem Körper aus einem Seiteneingang treten. Er hielt die Tür etwas zurück, so dass sie nicht komplett zufiel, und ging direkt an ihrem Versteck vorbei in das Nebengebäude. Sie hörten die Schritte laut und schwerfällig auf dem Kiesboden knirschen.

An einer Seite des Gebäudes lehnten mehrere Werkzeuge. Than stieß Mina an und deutete auf zwei lange Äxte, deren Klingen im trüben Licht, das aus dem Nebengebäude schien, leicht glänzten. Bevor sie etwas sagen konnte, sprang er aus ihrer Deckung hervor, griff beide und kehrte zu Mina zurück.

„Unsere Waffen", beschloss er nicht ohne Stolz und drückte ihr eine der Äxte in die Hand.

Sie warteten noch eine Weile. Nachdem der Mann nicht zurückkehrte, liefen sie zu der angelehnten Tür und betraten das Gebäude. Die dicken Steinmauern und das spärliche Licht, das von wenigen Fackeln von den hohen Wänden zurückgeworfen wurde, verbreiteten eine beklemmende Atmosphäre. In der Luft lag ein Geruch von ungewaschenen Menschen und irgendetwas Fauligem. Than rümpfte automatisch die Nase, um nicht so tief einatmen zu müssen.

Der Vorraum, den sie betraten, ging dahinter in einen langen Gang über, dem sie mangels Alternativen folgten. Die Richtung musste aber stimmen, sie waren auf dem Weg zur Mitte der Burg. Selbst von außen war die riesige Glaskuppel des Hauptgebäudes zu erkennen. Und genau dort musste sich auch der Mechanismus befinden, mit dem sie hoffentlich die Schleuse schließen konnten.

Rechts und links fanden sich große gemauerte Nischen, in denen Mina und Than sich immer wieder versteckten, nachdem sie ein kleines Stück gegangen waren. Aber ihre Vorsicht war unbegründet. Der Gang blieb menschenleer.

Das Gebäude schottete alle Geräusche von außen ab. Nur ab und zu war ein unheimliches Knarzen zu hören, dass tief unter ihnen aus dem Berg zu kommen schien.

Der Gang wurde heller erleuchtet, je näher sie dem großen Innenraum kamen, der komplett von einer Glaskuppel überspannt wurde. Die mächtigen Stützpfeiler stellten riesige Figuren dar, deren grausamen Grimassen hämisch grinsend in Richtung der Mitte des Raumes blickten. Durch das Glas schien der fast volle Mond und tauchte den Raum in ein gespenstisch kaltes weißes Licht.

Auf den ersten Blick hätte Than den Schleusenmechanismus fast übersehen. Nur weil er wusste, dass er hier sein musste, bestieg er die Treppenstufen, die pyramidenförmig in der Mitte des

Raumes nach oben führten. Mina drückte ihm die fünfeckige Münze in die Hand und verschwand dann in den Schatten einer der Säulen. Von dort aus hielt sie Wache. Wenn Than entdeckt würde, so hatte sie vielleicht die Chance, ihn zu verteidigen und zu fliehen.

Aber noch immer war es erstaunlich ruhig. Oben angekommen, konnte Than in einen Schacht gucken, der eine Konstruktion aus Holz und Metall, fast eine Maschine, zur Öffnung des Schleusentores beherbergte. Er sprang mit einem Satz auf den Boden. Trotz der ausreichenden Beleuchtung brauchte er eine Weile, um sich mit dem Mechanismus vertraut zu machen. Rostige Zahnräder griffen eng ineinander. In das größte von ihnen hätte Than aufrecht stehend gepasst, und es wäre noch immer etwas größer als er gewesen. Zum Glück schaute es nur zur Hälfte aus dem Boden, auf dem Than stand, und so hatte er von seiner Position aus den Überblick über die Konstruktion.

An der linken Seite, etwa auf Höhe seiner Hüfte, befand sich eine Art Schaltpult auf einer Metallplatte. Dort befand sich auch eine leichte Kerbe, in die seine kleine Münze genau passte. Hätte er sie nicht bei sich, er hätte die Einbuchtung übersehen. Neben der Vertiefung waren mehrere Hebel. Vorsichtig versuchte er einen davon zu bewegen. Aber außer einem leisen rostigen Ächzen tat sich nichts. Er lehnte seine Axt an die Seite und probierte es noch einmal mit beiden Händen. Aber nichts tat sich. Dann griff er in seine Hosentasche und holte das kleine Metallplättchen hervor. Es passte perfekt in die

Aussparung, und jetzt ließen sich die Hebel bewegen, wenn es auch einen hohen Kraftaufwand erforderte. Ein tiefes Stöhnen und Knarzen hallte durch den Raum, als sich die großen Zahnräder langsam in Bewegung setzten. Der Boden vibrierte.

Than schrak für einen Augenblick zusammen. Er hörte Mina leise rufen und kletterte schnell aus der Pyramide hervor. Und keine Sekunde zu spät.

Schon hörte er aus der Ferne lautes Rufen und das Aufstoßen schwerer Türen. Sie hatten sich verraten. Hand in Hand flohen sie durch den Gang, den sie gekommen waren, und hielten erst inne, als sie völlig außer Atem wieder hinter dem Stapel mit den hochaufgetürmten Holzstämmen knieten.

Die Aufregung schien nicht aus der Burg in die Nebengebäude gedrungen zu sein. Denn hier, vor den Werkstätten, war alles ruhig, und keiner der Odonen, die sich in dem Haus befanden, schien etwas von den Geschehnissen in der Burg gehört zu haben. Das laute Kreischen der Sägen schien alle Geräusche von außen zu verschlucken.

„Was war das? Was hast du gesehen?", bedrängte ihn Mina flüsternd, die Arme auf ihre Axt gestützt.

Thans Hände waren leer. Er hatte in der Eile seine neben dem Schaltpult vergessen, aber es war ihm nicht einmal aufgefallen.

„Es funktioniert! Wir können es schaffen, wir können die Schleuse schließen."

„Aber wie?" Mina war skeptisch.

„Wir brauchen Zeit."

„Zeit?"

„Ja, der Mechanismus scheint zu funktionieren. Er ist eingerostet und alt, aber die Räder haben sich bewegt."

„Zeit?" Mina grübelte leise vor sich hin und zog mit der freien Hand Kreise über das spärliche Gras, das auch hier, wie auf dem gesamten Vorplatz des Nebengebäudes, mit einem mal dicker, mal dünneren Film von staubigen Sägespänen bedeckt war. Ihre Finger hinterließen beruhigende Muster. Eine Weile hockten sie so nebeneinander. Keiner sprach ein Wort. Langsam kam Wind auf und blies ihnen feinen Holzstaub ins Gesicht, so dass sie nur mühsam ein Niesen unterdrücken konnten.

„Ich hab es!", rief Mina laut und schlug sich sofort, erschrocken über die Lautstärke ihrer Stimme, auf den Mund. Aufgeregt knuffte sie Than in den Arm und ignorierte seinen vorwurfsvollen Blick. „Than." Deutlich leiser erklärte sie ihm ihren Plan.

„Ich glaube, das Öl reicht nicht." Than hatte den Inhalt seiner Tasche vor ihnen ausgebreitet. „Guck selbst, mit dem Rest schaffen wir es nicht einmal, diesen Stapel hier in Brand zu setzen." Dabei tickte er einen der Stämme an, hinter denen sie sich noch immer versteckt hielten. Er betrachtete den kleinen fest verschlossenen Beutel näher, in dem er den Vorrat an Öl für seine Lampe aufbewahrte. „Hör mal!" Er schüttelte kräftig und schätzte: „Halb voll, höchstens."

„Oh, Mist!"

Minas Fluch war leise, aber so enttäuscht, dass Than zusammenzuckte. Beruhigend fasste er Mina an die Schulter.

„Ich weiß, was wir machen. Wir haben noch viel mehr von dem Öl. In den Lampen. Unter Tage. Wir holen alles her, was wir tragen können, und dann stecken wir die Tischlerei hier an. Die wird lichterloh brennen, glaub mir. Ich habe gesehen, wie viel Öl noch in den ganzen Lampen ist, die dort stehen."

Während er sprach, sah er schon, wie Mina langsam den Kopf schüttelte. Ihr Blick wurde traurig. „Than. Wir können nicht zurück."

„Doch, wenn wir sofort losgehen, dann sind wir nächste Nacht wieder hier und es ist fast Vollmond. Wir brauchen für den Weg kaum das Licht anzumachen und sparen Öl."

„Das ist es nicht." Minas Blick heftete fest am Boden auf den langen Kreisen, die sie zuvor mit ihren Fingern in dem Holzstaub hinterlassen hatte.

„Warum? Ein Tag mehr oder weniger? Was ist das schon?

Jetzt, wo wir so nah vor unserem Ziel sind?"

„Than, du verstehst nicht. Wir können nicht zurück." Sie musste es ihm sagen, aber irgendwie brachte sie die Worte nicht über ihre Lippen. „Hör zu, wir können nicht zurück. Nicht auf diesem Wege."

„Aber warum?" Than war langsam genervt.

„Den Tunnel gibt es nicht mehr." Jetzt schaute Mina ihm in die Augen, und an ihrem Blick konnte er sehen, dass sie recht hatte.

„Er ist eingestürzt, ich habe es gehört. Ich habe es gesehen. Ich kam noch rechtzeitig in den Schacht und konnte hochklettern. Die steigenden Fluten sind schuld. Sie haben zu viel Druck auf die höher gelegenen Teile des Tunnels ausgeübt. Ich konnte es hören und ich konnte es riechen, das Wasser, das sich durch die Gänge frisst."

„Aber nein!" Verzweifelt schüttelte Than den Kopf. „Mina, das kann nicht sein. Das darf nicht sein! Nicht jetzt. Noch nicht jetzt. Warum erzählst du es mir erst jetzt?"

„Than. Wir müssen uns etwas anderes einfallen lassen. Und das bald. Wenn wir noch weiter tatenlos hier herumsitzen, dann werden wir erfrieren."

Eno lag zusammengerollt auf dem Boden seiner Zelle. An Schlaf war nicht zu denken, zu sehr nagten Hunger und Durst an ihm. Trotzdem dämmerte er immer wieder leicht weg. So dauerte es auch eine Weile, bis er das leise Flüstern, das er von draußen hörte, richtig wahrnahm. Vorsichtig bewegte er sich aus seiner Position und versuchte langsam, seine schmerzenden Gelenke zu belasten. Auf wackeligen Beinen stolperte er langsam zum Fenster, um nachzuschauen, woher die Stimmen kamen. Der Mond tauchte die Burg und die nähere Umgebung in ein fahles Licht. Trotzdem konnte er die Herkunft der Stimmen nicht sofort orten. Die Geräusche schienen von etwas weiter weg zu kommen, nicht so wie zuvor, als Mina und Than direkt unter seinem Fenster vorbeigeschlichen waren.

Er stand eine Weile ruhig da, dann hörte er Mina rufen und kurz darauf eine leiser gezischte Zurechtweisung von Than. Die beiden mussten ganz in der Nähe sein. Eno vermutete, dass sie sich hinter den hochgestapelten Zedernstämmen vor der Tischlerei versteckt hielten.

Das war seine Chance. Er musste sie auf sich aufmerksam machen und hoffen, dass sie ihn hier herausholten. Das Mondlicht fiel auch in seine Zelle und hinterließ ein großes helles Rechteck auf dem kalten Boden. Er suchte den beschienenen Fleck mit den Augen nach etwas ab, das er den beiden zuwerfen konnte. Aber er sah nur die Glasscherben von seiner zerbrochenen Lampe.

„Aua!" Than griff sich an den Kopf.

„Hey, sei leise", zischte ihn Mina an. „Was ist denn?", setzte sie etwas freundlicher nach.

Than nahm seine Hand herunter und schaute auf die Handfläche, auf der ein deutlicher Blutfleck zu sehen war. „Irgendetwas hat mich getroffen."

Mina strich ihm über den Kopf. „Autsch!" Sie zog ihre Hand zurück, in der eine fingerdicke Scherbe steckte. Beim Herausziehen begann ihre Handfläche leicht zu bluten. „Woher kommt die denn jetzt?", wunderte sie sich.

„Zeig mal her." Than griff nach dem Glasstück und betrachtete es genauer. „Das ist von einer Lampe. Von einer unserer Lampen. Guck mal."

Jetzt betrachteten beide die Scherbe im trüben Licht.

„Tatsächlich." Mina war überrascht. „Das muss eine Lampe von uns sein, von einem von uns. So etwas habe ich hier bei den Odonen noch nicht gesehen."

Beide kamen aus ihrer Deckung und betrachteten die Umgebung. Mina nahm als Erstes den Schatten am Fenster des Nebengebäudes wahr. In dem langgestreckten Haus war ein später herangeflickter Anbau mit eigenem Eingang. Und hinter dessen einzigem Fenster sahen sie jetzt einen Kopf.

„Hey", rief die Gestalt ihnen leise zu. Das war eindeutig Enos Stimme.

Than und Mina zuckten überrascht zusammen. Waren sie aufgeflogen? Schließlich stand Eno eindeutig nicht auf ihrer Seite, wie die Ereignisse gezeigt hatten.

Sie schauten sich fragend an. Mit Eno hatten sie in diesem abgelegenen Teil des Geländes nicht gerechnet. Und besonders nicht in diesem kargen Anbau, der schon von außen weniger als gemütlich aussah. Wenn er hier war, dann doch sicher in der Nähe des Herrschers. Oder? Schließlich war Mina es, die das Schweigen brach: „Than, guck mal, wo sie ihn untergebracht haben: Irgendetwas scheint anders gelaufen zu sein. Vielleicht steht er auf unserer Seite und hilft uns?"

Than schaute sie zweifelnd an, aber ihm fiel auch nichts Besseres ein. Leise schlich er über die kleine freie Fläche zu dem Fenster.

„Ein Segen, Than! Holt mich hier raus, sie halten mich gefangen."

„Aber warum sollte ich?" So leicht wollte Than es Eno nicht machen.

„Sie sind grausam, glaub mir. Ein barbarisches Volk. Ich habe einen Fehler gemacht zu glauben, sie wären anders. Bitte helft mir!"

Eno redete auf Than ein. Der hörte nur mit halbem Ohr zu. Denn in Gedanken wägte er ab, was passieren würde, wenn sie Eno aus dem Loch herausholen würden. Was war hier in der Zwischenzeit passiert? War das vielleicht eine Falle? Than kam zu keinem Ergebnis, aber er wusste, je länger er vor dem Fenster stand, desto höher war die

Wahrscheinlichkeit, dass sie alle entdeckt werden würden. Schließlich waren die Odonen in der Burg nach den ungewöhnlichen Geräuschen sicher in Alarmbereitschaft.

„Deine Lampe ist kaputt?"

„Ja, sie ist zerbrochen."

„Und das Öl?"

„Das ist noch in dem Unterbau." Eno war überrascht. „Warum fragst du?"

„Hast du noch was zum Nachfüllen mit?"

„Ja, klar, zwei Beutel."

„Voll?"

„Was soll das, Than? Ja, klar sind die voll. Wer würde denn ohne genügend Licht so eine Erkundung machen?"

„Warte, ich sehe mal nach, wie die Tür gesichert ist." Than schlich sich vom Fenster weg um den Anbau herum und ging direkt zur Tür, die in Enos Zelle führte. Ein Druck auf die Türklinke bestätigte ihm, was er schon vermutet hatte. Sie war abgeschlossen. Er schaute sich um und entdeckte tatsächlich ein kleines Schlüsselbund, das unweit der Tür in einer Mauernische steckte. „So einfach kann das doch nicht sein", murmelte er vor sich hin, während er vorsichtig die Schlüssel nahm und einen nach dem anderen in dem Schloss ausprobierte.

Beim Vierten hatte er Glück. Mit einem leisen Knacken drehte sich der Schlüssel im Schloss, und schon sprang die Tür nach innen auf. Than staunte nicht schlecht, als er den übermüdeten Eno mit gefesselten Händen vor sich sah. Er holte seine Axt und trennte die Eisenketten mit einem geschickten Schlag durch. Eno fiel ihm erleichtert in die Arme und klammerte sich an ihm fest. Than musste ihn fast von sich wegstoßen. Zum Glück kam Mina sofort herangeeilt, als sie die sich öffnende Tür sah.

„Du hier?", fragte sie ungläubig. „Was soll das, Eno? Ist das eine Falle?" Aber dann trat sie näher an ihn heran und konnte sehen, wie schlecht es ihm ging. Das war kein Hinterhalt. Eno war wirklich der Gefangene der Odonen.

„Eno, du musst und jetzt helfen, schnell, hast du noch eine Lampe, Öl oder irgendetwas, das brennt? Hol alles raus und lass uns wieder in Deckung gehen!"

Eno ging noch einmal kurz in den Raum zurück, suchte seine Sachen zusammen und stopfte sie durcheinander in seine Tasche. Dann verschlossen sie wieder die Tür und versteckten sich erneut hinter dem Holz.

Gemeinsam weihten sie Eno ein und besprachen ihren Plan.

## 17 Das Feuer

Enos Tasche erwies sich als Fundgrube für weitere Utensilien, die sie für ihren Plan benötigten. Sie füllten einen Teil ihrer Ölvorräte in mehrere kleine Beutel um und ließen jeweils ein kurzes Stück dicken Faden heraushängen, bevor sie die Beutel wieder fest zubanden. Dann legten sie alle vor sich auf den Boden. Mina hatte unterdessen einige dicke Steine aufgesammelt, die sie gerade noch hochheben konnte. Alles legten sie in zwei ordentliche Reihen. Daneben kamen Feuerholz und Zunder, das sowohl Eno wie auch Than bei sich hatten.

Mina schlich sich leise um die Tischlerei und lugte durch die einzelnen Fenster. „Than, Eno", herrschte sie die beiden in einem strengen Flüsterton an. „Wer von euch kann gut werfen?"

Beide sagten wie aus der Pistole geschossen gleichzeitig: „Ich!"

Mina schüttelte den Kopf und verzog dabei den Mund zu einem unterdrückten Grinsen. „Also gut. Dann kriegt jeder von euch eine Seite. Eno, Than. Ihr rennt beide auf mein Zeichen gleichzeitig los und werft die Steine erst vorne und dann an den Seiten in das Gebäude. Und gleich danach zündet ihr die Dochte an den Beuteln an und werft sie hinterher. Der eine links herum, der andere rechts herum. Guckt vorher durch die Fenster. Es ist alles voll Holz und Späne. Versucht in die großen Haufen mit den Spänen zu treffen, der Rest brennt von alleine. Ich renne schon vor zu dem Felsvorsprung hinter der Burg. Dort treffen wir uns. Beeilt euch!" Sie schaute von einem zum anderen. „Alles klar?"

Das Nicken der beiden war ihr Antwort genug. Schon war sie verschwunden, und für einen Augenblick schauten sich Eno und Than überrascht an, wie sorgfältig Mina ihren Plan durchdacht hatte. Jetzt waren sie an der Reihe.

Beide starteten auf ihr Zeichen. Das erste Klirren der Scheiben kam von beiden Seiten fast gleichzeitig, und kurz darauf schien aus dem Inneren ein warmes Licht nach draußen. In der Aufregung zündeten nicht alle Beutel, und es musste schnell gehen. Mehrere warfen sie einfach so durch die Scheiben und hofften, dass sie zu einem späteren Zeitpunkt noch nützlich wären, wenn das Feuer stärker um sich griff. Genauso gleichzeitig, wie sie begonnen hatten, waren sie fertig und versuchten im Schatten der Felsen zu ihrem gemeinsamen Treffpunkt zu gelangen. Keine Sekunde zu spät.

Völlig außer Atem beobachteten sie zu dritt aus ihrem Versteck heraus, wie die Tischlerei Feuer fing, und nach nur wenigen Minuten züngelten die Flammen bereits durch das Dach. Ein beißender Geruch nach Ruß und verbranntem Holz breitete sich aus.

Genau wie erwartet, stürmten die ersten Odonen aus der Burg zu den Flammen. Im hellen Schein des Feuers sahen ihre Gestalten noch fremder und brutaler aus. Than lief ein Schauer über den Rücken bei dem Gedanken, was wohl passieren würde, wenn sie hier entdeckt würden. Aber daran durfte er nicht denken.

Sie hörten lautes Rufen, und immer mehr Odonen stürmten aus der Burg, um die Flammen zu löschen. Die drei nutzten die Aufregung und stahlen sich langsam zum Nebeneingang weg.

In der kühlen Burg fiel Than wieder die Stille auf, die sie umgab. Sie huschten an den großen Statuen vorbei durch die Gänge, bis sie in dem großen Raum mit der Kuppel waren. Diesmal vergaßen sie alle Vorsicht. Wenn sie jetzt entdeckt würden, dann war es sowieso zu spät. Ein unerlaubtes Eindringen in die Burg wäre vielleicht noch zu erklären gewesen, aber jetzt, nachdem das Feuer eines ihrer Gebäude zerstörte, konnten sie sicher nicht auf Milde hoffen.

Gemeinsam erklommen sie die Stufen der steinernen Pyramide und stiegen in ihr Inneres hinab. Eno blieb vor Staunen der Mund offen stehen. Eine Konstruktion dieser Größe hatte er noch nie gesehen. Sie alle hatten so etwas zuvor noch nicht gesehen – bis auf Than, der sich wenige Stunden zuvor bereits mit der Mechanik vertraut gemacht hatte. Ehrfürchtig strich er über die rostigen

Zahnräder, die auch ihn teilweise noch um Kopfeslänge überragten.

Nervös grub Than in seiner Hosentasche nach der Münze. Dann suchte er mit den Fingern in den anderen Taschen. Er war sich so sicher, dass er zuvor trotz der Aufregung die Münze wieder an sich genommen hatte. Oder steckte sie etwa noch in dem Schließmechanismus? Er warf einen Blick darauf und stellte nicht weiter verwundert fest, dass sie auch dort nicht war. Hatte er sie etwa vergessen, und die Odonen hatten sie zwischenzeitlich gefunden? Wenn das so wäre, dann wüssten sie, dass außer Eno noch mehr ungebetene Gäste hier waren und dann würden sie sicher trotz des Feuers den Geschehnissen in der Burg weiter Aufmerksamkeit schenken. Seine Axt stand noch da, so wie er sie bei ihrer Flucht vorher zurückgelassen hatte. Ein weiteres Indiz für die Odonen, dass hier unerwünschte Gäste am Werk waren.

„Sch …" Ihm wollte gerade ein Fluch über die Lippen kommen, als Mina ihn sanft anstieß. In ihrer Hand hielt sie die Münze. Than war sauer. Da bekam er vor Schreck fast einen Herzaussetzer, und dabei hatte Mina nur mal wieder einen ihrer kleptomanischen Anfälle.

Wütend entriss er ihr das kleine Stück Metall. „Das ist nicht lustig", fuhr er sie ärgerlich an.

Minas verletzter Blick ließ ihn kalt.

„Sag mal, findest du das etwa lustig?" Than wurde lauter, und Eno legte sich warnend einen Finger auf die Lippen.

„Hey, Leute, was auch immer ihr habt, klärt es später."

Wortlos drehte Than sich nach vorne und legte die Münze in die Vorrichtung. „Eno, hilf mir! Wir müssen die Hebel alle nach hinten drücken, dann setzen sich die Räder in Bewegung und lassen das Schleusentor runter."

Eno war froh, dass, was auch immer eben zwischen Than und Mina war, scheinbar vergessen war. Er war so hungrig, durstig und übermüdet, dass er nur so schnell wie möglich das Wasser stoppen wollte, damit sie nach Hause konnten. Er nahm beide Hände und griff nach den äußeren Hebeln. Than hatte die inneren zwei in der Hand und einer war noch frei. Unwillig schaute er in Richtung Mina, und die nahm, ohne ihn eines Blickes zu würdigen, den fünften Hebel in die Hand.

Alle drückten mit ihrem ganzen Körpergewicht die Schalter nach vorne. Ein unwirkliches Ächzen und Knarzen erfüllte den Raum, als sich die schweren Zahnräder wieder in Bewegung setzten. Sie waren lange nicht benutzt worden, und für einen Augenblick dachten sie, dass die rostigen Zwischenräume die Räder blockieren würden. Aber immer mehr von dem rotbraunen Belag sprang unter der Belastung ab, und nach der ersten vollen Umdrehung des größten Rades liefen sie wie geschmiert. Jetzt wurden die Geräusche in der Halle auch erträglicher. Dafür spürten sie unter sich ein Rumoren und Dröhnen im Inneren des Berges. Than musste lächeln. Das war der Beweis, dass sich das Schleusentor wirklich bewegte.

Das Beben wurde immer stärker. Mina horchte mit besorgtem Gesicht auf die Vibrationen. „Leute, wir sollten von hier verschwinden. So wie die Erde bebt, sind wir hier bald nicht mehr alleine. Feuer hin, Feuer her."

„Nein, noch nicht." Than hielt noch immer seine Hebel gedrückt, obwohl die Maschine jetzt von alleine lief. „Wenn wir jetzt abhauen, dann können die Odonen das Tor wieder hochfahren."

„Aber Than, wir haben keine Zeit mehr!"

Auch Eno wurde unruhig und reagierte immer angespannter auf die Bewegungen unter ihren Füßen. Dann hörten sie aus weiter Ferne ein Kreischen, wie von riesigen Türangeln.

„Die Odonen kommen zurück, sie öffnen das Haupttor zur Burg!" Mina konnte ihre Unruhe kaum noch verbergen.

„Es dauert noch! Wartet!"

Than hörte dicht neben sich ein lautes Krachen und Splittern von Holz. Als er sich nach rechts zu dem Geräusch umdrehte, sah er Mina mit ausgestreckten Armen. Beide Hände hatten die Axt umklammert, die er zu ihrer Verteidigung neben dem Schaltpult deponiert hatte. Ein zweiter Schlag von Mina und schon waren die Hebel, mit denen sie eben noch den Mechanismus bedient hatten, tief gespalten. Schon fuhren ihre Hände wieder herab und bearbeiteten jetzt eine Holzsäule, die etwas weiter rechts stand. Immer und immer wieder schlug sie auf die Konstruktion ein, und als sie völlig außer Atem innehielt, nahm Eno ihr die Axt ab und tat es ihr nach.

Minuten später lag vor ihnen ein Trümmerfeld.

„Jetzt können wir gehen!" Mit einem letzten Blick auf ihr Werk drehte sich Mina um und stieg den anderen voran die Pyramide hinauf. Je näher sie dem Rand kam, desto stärker duckte sie sich, damit ihr Kopf nicht von außen zu sehen war. Nur vorsichtig wagte sie einen Blick über die oberste Stufe. „Die Luft ist rein", rief sie leise hinter sich und schwang sich auf den äußeren Rand der Treppenstufen. „Jetzt aber schnell", mahnte Mina noch und war schon mit einem Spurt in dem schummrigen Nebengang verschwunden, der zu ihrem Ausgang führte.

Hinter sich konnte sie Thans und Enos Schritte hören und nicht weit davon entfernt, wie eine große Anzahl von Menschen schweren Schrittes durch den Haupteingang zur Pyramide eilte. Der Boden unter ihnen bebte noch immer leicht von dem herabsinkenden Schleusentor. Am Ausgang machten sie kurz halt.

„Wir können nicht den gleichen Weg zurück. Dort werden sie uns sofort finden. Die Odonen sind gewarnt." Than hatte die Führung aus der Burg gerne Mina überlassen, denn so konnte er sich schon den nächsten Schritt überlegen. „Wir gehen hinter die Burg und schlagen uns durch den Gebirgszug durch. Wenn unser

Plan funktioniert hat, dann gibt es sicher einfachere Wege ins Tal."

Mina öffnete die schwere Tür einen Spalt und schloss sie sofort wieder.

„Mist, überall Wachen." Erschrocken schaute Mina von einem zum anderen und sah in ratlose Gesichter. Dann guckte sie in den trübbeleuchteten Gang. Links und rechts waren in unregelmäßigen Abständen Türen. Sie eilte zu der ersten auf der linken Seite und versuchte eine von ihnen zu öffnen. Aber nichts rührte sich. Jetzt waren schon Stimmen in dem Nebengang zu hören. Die Odonen waren ihnen dicht auf den Fersen.

Verzweifelt blickte sie sich zu Than und Eno um. Da kam schon die erste wutverzerrte Fratze eines Odonen um die Ecke. Mit einem lauten Brüllen lief er auf sie zu und zog ein langes Schwert. Mina erstarrte. Than und Eno rissen sie mit sich und zogen panisch an einem der schmiedeeisernen Türknaufe. Ein kurzer Widerstand und dann sprang die Tür mit einem Quietschen auf.

Hinter sich zogen sie die Tür schnell ins Schloss und wagten erst dann einen Blick in den Raum. Dank des Mondes, der jetzt direkt durch eine der schmalen Luken schien, konnten sie sehen, dass sie in einer Art Abstellkammer gelandet waren. Überall standen Tische, Stühle, und auch ein paar alte Vorhänge lagen unordentlich zusammengeknüllt und verstaubt auf einem Stapel. In Windeseile schoben sie einen Teil der Möbel vor die Tür und sicherten sie so, dass die Tür von außen nicht mehr zu öffnen war.

Mina griff einen Arm voll mit Vorhängen und ging zu dem Tisch, der am nächsten an einem der großen, hoch oben in den Mauern eingelassenen Fenster stand, das zu beiden Seiten von steinernen Säulen begrenzt wurde. Sie stieg vorsichtig auf den Tisch. „Than, bring mir einen Stuhl", raunzte sie leise.

Dieser tat, wie ihm geheißen, und stellte ihr einen Stuhl vor die Füße. Die Beine hielt er fest und glich damit das Wackeln aus, als sie nacheinander ihre Füße daraufstellte und hochstieg. Ein Blick durch das Fenster und Mina war zufrieden. „Das Fenster geht nach hinten raus, hier ist niemand. Kommt, helft mir die Vorhänge aneinanderzuknoten."

Zu dritt legten sie die Enden der langen Stoffbahnen aneinander und knoteten sie zu einem langen Schal. Von draußen aus dem Gang war immer lauteres Wutgeheul zu hören. Vor der Tür schienen sich immer mehr Odonen zu versammeln, und sie hörten sich nicht so an, als ob sie mit sich reden ließen.

„Das müsste reichen", stellte Mina hektisch fest. „Los, knotet das eine Ende um die Säule am Fenster."

Die beiden folgten Minas Anweisungen, und befestigten das Ende, indem sie es um eine der Säulen schlangen. Das andere Ende hatte Mina noch in der Hand. Sie öffnete das Fenster und warf das lange provisorische Seil hindurch. Aus dem Gang waren die Geräusche einer Axt zu hören, die immer und immer wieder in das Holz der Tür schlug und es splitterte. Ein scharfer Ruck an dem verknoteten Ende reichte ihr als Sicherheit, und schon schwang sich Mina über den kleinen Vorsprung und seilte sich außen an der Burg ab. Than folgte ihr als Nächster, und zuletzt kam Eno mit einem Satz neben ihnen zum Stehen.

Wie auf Kommando wandten alle drei der Burg den Rücken zu und schlugen sich durch karges Gebüsch rechts in die Felsen, die sich hinter dem Gebäude auftürmten.

## EPILOG

Sie gingen den ganzen Rest der Nacht. Keiner sagte ein Wort. Nur ab und zu hörte man ein Fluchen, wenn einer von ihnen auf den schlechten Wegen gestolpert war und sich mühsam wieder aufrichtete. Alle drei waren müde und erschöpft, trotzdem zog es sie vorwärts. Mit jedem Schritt, den sie sich von der Burg der Odonen entfernten, fiel ein Stück Last von ihnen ab und ihre Neugier auf das, was ihr mutiger Einsatz in der Burg bewirkt hatte, trieb sie voran.

Alle drei waren erleichtert, dem grauenvollen Ort der Odonen entkommen zu sein. Than ging immer wieder die letzten Augenblicke vor ihrer Flucht in der Burg durch. Er war stolz auf Minas Geistesgegenwart, mit der sie das Schaltpult für die Wasserschleusen endgültig zerstört hatte. Der ohrenbetäubende Lärm aus dem Inneren des Berges, der darauf folgte, war ihm Beweis genug, dass nicht nur der Teil der Konstruktion in der Burg, sondern der gesamte Mechanismus im Berg durch den plötzlich geänderten Druck der Wassermassen zerstört worden war. Ein Schaden, von dem es Jahre dauern würde, ihn zu beheben.

Bewundernd und nachdenklich blickte er auf Mina, die vor ihm ging. Und noch ein anderes Gefühl machte sich in ihm breit, das er nicht richtig zu deuten wusste.

Mit den ersten Sonnenstrahlen erreichten sie die äußeren Gebirgszüge, die in Richtung ihrer Heimat lagen. Im warmen Licht des Morgens standen sie auf einem Hügel, weit südlich von dem Wasserfall. Plötzlich kamen in Than Zweifel hoch. Was, wenn sie doch irgendetwas nicht bedacht hatten und das Ergebnis ein anderes war als erhofft?

Er traute sich kaum, seinen Blick zu heben. Es war Mina, die ihn anstieß und begeistert ausrief: „Wow, es hat geklappt!"

Dann nahm sie ihn an die Hand und drehte sich mit ihm im Kreis. Than fragte sich, woher sie nach dieser anstrengenden Wanderung noch die Energie für einen Freudentanz hatte. Er hob den Kopf, und dann wusste er es. „Das ist unser Land", stellte er ehrfürchtig fest.

Unter ihnen erstreckte sich ein breites Tal. Über und über mit Schlamm und Steinen übersät, die jetzt im Licht der aufgehenden Sonne geheimnisvoll glänzten. Nur noch kleine Rinnsale tropften die umliegenden Felsen hinab.

Mina umarmte alle beide. Dann konnten auch Than und Eno nicht anders und lagen sich erleichtert in den Armen.

„Es hat funktioniert", murmelte Eno.

Erschöpft, aber überglücklich genossen sie diesen Augenblick. Nach einer Weile lösten sie ihren Blick von dem von den Fluten freigegebenen Land.

„Kommt, Leute, wir haben noch einen weiten Weg vor uns, lasst uns gehen."

Mina betrat einen schmalen Pfad, der sie scheinbar auf direktem Wege nach unten führte, und lief ihnen leichtfüßig voran.

ENDE